INES PÉRÉE
ET
INAT TENDU

Couverture: photographie de Réjean Ducharme

ISBN-0-7761-0057-2

1124, rue Marie-Anne Est, Montréal (Qc) H2J 2B7
Dépôt légal - Bibliothèque nationale du Québec, 4e trimestre 1976

Imprimé au Canada

RÉJEAN DUCHARME

INES PÉRÉE
ET
INAT TENDU

LEMÉAC

Pour une place sur la terre

De tous les écrivains québécois, Réjean Ducharme est celui qui, dans les dix dernières années, nous aura fait le plus de surprises, entendez de révélations stupéfiantes. En 1966 — personne, alors, ne connaît même son nom, sauf un éditeur québécois mais qui s'est empressé de l'oublier — c'est la découverte, via le plus classique et le plus prestigieux des éditeurs parisiens, de L'Avalée des avalés, *dont l'héroïne, Bérénice Einberg, son frère Christian, son amie, Constance Chlore, devenue dans la mort Constance Exsangue, s'imposent comme des météores à notre attention fascinée. Quelques semaines auparavant, au sortir d'une manifestation cinématographique à Montréal, Mi-*

chel Cournot m'avait dit: «Vous avez ici un jeune romancier éblouissant et vous ne le savez pas.»

Et même quand on le sut, on jugea un tel écrivain si improbable qu'on tâcha de le faire passer pour un fantôme, non pour un enfantôme, avant d'avoir confirmation de sa réalité par deux autres romans d'une tendresse virulente et blessée, d'un lyrisme enfantin, rayonnant, d'une nouveauté fulgurante: Le Nez qui voque, l'année de Terre des Hommes, et puis L'Océantume en 68. Encore ces deux ouvrages avaient-ils été écrits avant le premier, ou en même temps, dans les pires conditions matérielles, d'un souffle, par un écrivain que, notant qu'il était bien né en 1942 à Saint-Félix de Valois, il fallait avoir rencontré, observé, soupesé, tâche malaisée mais grande rencontre, pour se persuader avec peine que cette culture assimilée, recomposée, cette réinvention souvent hallucinante, cette sagesse des profondeurs de l'homme étaient le fait d'un romancier de vingt ans.

Noirs et lumineux comme des astres, impossibles à situer dans une descendance (Dostoïevsky, Lautréamont, peut-être...), niant superbement l'intrigue, rejetant tout autre fil conducteur à leur roman que l'itinéraire de la destinée de l'homme, cette énigme et cette seule connaissance, troquant la démonstration pour la dérision, plus révélatrice, la gravité pour l'humour tragique, les règles pour l'invention permanente, ces enfants, en multipliant les *trouvailles de forme et de pensée, s'ébattaient farouchement face à la cruauté des constructions et des établissements du monde.*

Bérénice nous disait: «On ne peut rien contre la solitude et la peur. Rien ne peut aider. La faim et la soif ont leurs pissenlits et leurs eaux de pluie. La solitude et la peur n'ont rien. Plus on essaie de les calmer, plus elles se démènent, plus elles crient, plus elles brûlent. L'azur s'écroule, les continents s'abîment: on reste dans le vide, seul.» Iode Ssouvie, héroïne crétoise et québécoise de L'Océantume, *nous disait: «Il fera un silence tellement grand que, d'une ville à l'autre, nous pourrons nous entendre chanter. En se retirant, nos eaux auront semé la terre de merveilles. Des algues géantes draperont les forêts blanchies de sel. Les rues des villes, comme des cassettes, regorgeront jusqu'aux toits de poissons de couleur, de barres de galions, de jambes de bois de pirates, de pierres d'or méconnaissables et de pierres précieuses.» Et Mille Milles, dans* Le Nez qui voque*: «J'ai besoin des hommes. Je rédige cette chronique pour les hommes comme ils écrivent des lettres à leur fiancée. Je leur écris parce que je ne peux pas leur parler, parce que j'ai peur de m'approcher d'eux pour leur parler. Près d'eux, je suffoque, j'ai le vertige des gouffres. Si j'ai peur de leur adresser directement la parole, ce n'est pas parce que je suis timide, mais parce que je ne veux pas rester embourbé dans leurs glaisières profondes, dans leurs abîmes marécageux...»*

On dira (Gaston Miron, admiratif, me l'avait dit): c'est plus la recette de la poésie que celle du roman. Mais les cloisons ne tiennent plus. Qu'est-ce que le roman? Une intrigue bien construite, bien menée? Sur le modèle classique de La Princesse de Clèves, *qui d'ailleurs est très mal composée? Des fiches précises d'identité? La psychologie des individus? Malraux disait à Gaëtan Picon: «Le roman moderne est, à mes yeux, un moyen d'expression privilégié du tragique de l'homme, non une élucidation de l'individu.»*

Depuis, il y eut d'autres livres de Réjean Ducharme, ou de nouveaux aspects du même livre, aussi rafraîchissant qu'inépuisable, mais c'est encore en 1968 année de l'Océantume, *qu'Yvan Canuel nous convia, l'été, à son Festival de Sainte-Agathe, pour une autre, ou la même, découverte, au théâtre cette fois. De cette représentation d'une œuvre qui s'appelait* Ines Pérée et Inat Tendu *on sortit une fois de plus médusé, non surpris mais ravi que l'enchantement se prolongeât, comme l'effet d'une magie cette fois reconnue, mais non moins stupéfiante, et qui ne cesse pas d'opérer, d'une imagerie, d'une illumination à l'autre et du livre à la scène.*

Critique, on se lassait de le répéter, on ne se lassait pas d'être enchanté. J'en écrivais alors (on m'excusera de me citer: c'est seulement pour rappeler mes souvenirs d'il y a huit ans, pour fixer mon propos, inchangé): «De Bérénice à Christian, de Mille Milles à Chateau-

gué et d'Inès à Inat, de L'Avalée des avalés *à cette pièce en passant par* Le Nez qui voque, *c'est toujours le même univers de ces deux très jeunes gens qui s'ébrouent follement dans la révolte contre le monde des hommes, avec cette façon quasi automatique de vous introduire dès les premiers mots dans leur univers aspirant et compact, avec ces jeux de soufre et cette âme écorchée, folle de cruauté comme on dit fou de douleur, qui leur sont nés d'une quête inutile, éperdue de la pureté, avec cette invention comique, ce lyrisme de l'amertume, cette réinvention frénétique du monde par la parole et par l'ingénuité, ces bourrasques sages et démentes...* »

Bérénice, à huit ans, avait toute la sagesse et l'expérience du monde. Mille Milles disait: «J'ai seize ans et je suis un enfant de huit ans.» Inès et Inat sont-ils «ces déroutés, ces vagabonds», des aspirants depuis des siècles à une place au monde où s'installer enfin, où être bien parmi les autres, ou des enfants-poètes qui ne souhaitent pas grandir, jouer le jeu, codifié, desséché, de la société, mais pourtant se faire reconnaître?

Ils ne disposent pour cela que de deux idées: le violon violet d'Inès la farouchement «comique» et le grand papillon qu'Inat porte épinglé au dos de sa veste. Présent dans bien des textes, ce papillon n'est pas un symbole. C'est l'oxygène du héros, son étendard, son manifeste. C'est l'emblème de son royaume. L'héroïne de L'Océantume *avait déjà rêvé qu'en ouvrant les maisons des villes, et de la même façon qu'en marchant dans les bois et dans les marguerites, elle buterait contre des baleines, elle trouverait ces maisons pleines de papillons. Celui d'Inat n'est qu'en carton. Réfugiée dans ce faux abri de «la chapelle ardente désaffectée d'une clinique vétérinaire» qui est le lieu du premier acte de la pièce, Inat s'y fera voler son papillon (et Inès son violon), qui lui permettait de s'élever dans les airs, et lorsqu'il fouillera le fond de ses poches pour savoir ce qui reste de ses secrets et de ses trésors, il n'y trouvera qu'une poussière d'or, une poudre irisée, témoins impondérables des papillons qui s'y sont desséchés.*

Est-ce cette chapelle-asile-bordel qui va marquer le but de leur route épuisante, le bout de leur chemin, l'oasis espérée? À Isalaide, grosse vétérinaire en chaleur, déphasée, associée à Mario Escalope, psychiatre très traumatisé qui conditionne à sa façon ses «passionnaires», Inat explique: «Notre place n'était pas dans la rigueur de ce désert. Nous étions invités dans l'été... On s'est levés, on s'est dépêchés: on croyait que c'était tout près. Nous avons couru: et nous nous demandons si c'est ici que nous sommes attendus... Ce n'est pas vous qui devez nous recevoir, n'est-ce pas? Si c'était vous, vous nous auriez déjà reconnus. N'est-ce pas?» On les reçoit pourtant mais avec incompréhension, pire avec pitié, avec cette patience qu'on réserve aux malades, eux qui sont les plus simples et les moins atteints, on les reçoit avec du sexe robotisé, des moyens scientifiques de vivre contents, des sentiments pasteurisés, des gestes mécaniques, une organisation et des morales trop rationnelles pour ne pas craquer aux jointures, des aliments pour les chiens et les chats. Ils n'en veulent pas. On leur donne à manger des cailloux. Inat, qui les trouve beaux, veut les ouvrir, comme des noisettes. Inès le détrompe : ce n'est pas un cadeau de poète, c'est une façon, devant leur faim concrète, de ridiculiser leurs rêves abstraits.

Est-ce les deux enfants qui ont raison contre cet univers ? Ou qui ont tort de rester seuls parce qu'ils n'ont pas assez « le goût d'essayer de faire comme tout le monde, juste une fois » ? On ne leur donne pas l'hospitalité. On ne les intègre pas non plus. Ni dans la cellule de Sœur Saint-New-York-des-Ronds-d'Eau, qui ajoute aux appâts aquatiques d'Esther Williams « tout le gréement noir des anciennes religieuses ». Ni chez Pierre-Pierre, gentleman-cambrioleur qui a séduit la séduisante fille d'Isalaide, trépidante sapeuse-pompière. On ne les fissure pas. C'est bien eux, au contraire, qui dérangent, en annonçant la fête et l'aventure, la rupture, enfants venus quêter l'amour et l'insolite, archanges suppliants, déroutés, effrayants, qui sonnent l'heure du vrai débat, de la raison, de la terreur.

Leur folle philosophie est trop logique pour être admise. Ils affirment, plus clairement que Proudhon, que la propriété, c'est le vol. Pas celui des hommes, celui de la nature. Des fabriques, des usines, des propriétaires. «Or les roches appartiennent aux plages et à ceux qui s'étendent au bord de l'eau l'été, à moitié nus, pour prendre à moitié le soleil, cette autre grâce, cette autre générosité. Et le bois appartient aux forêts et les forêts ne sont pas faites pour ceux qui défont les arbres... non! Elles sont faites pour pousser, pour donner de plus en plus d'ombre aux amoureux, ils ont si chaud, et pour que les oiseaux qui ont peur puissent rebâtir leur nid plus haut.» Ils affirment que «les idiots ont autant de mérite à parler sans intelligence que les jolis et les beaux à vivre sans difformités». Ils sont «pour que ceux qui chantent faux chantent plus fort que les autres», pour qu'on ne sacralise pas le travail, surtout celui qui déshumanise («La vie est gratuite. Je ne l'ai pas payée et je ne la paierai pas»), qu'on en finisse avec les bonnes œuvres («Nous ne sommes pas venus chercher la charité mais prendre notre part de vous, prendre à côté de vous notre place»), qu'on remplace la méfiance, le scepticisme par l'enthousiasme («Je n'ai jamais rien compris à l'attitude de saint Thomas dont j'ai entendu dire qu'il avait toujours les doigts fourrés partout. J'ai compris que la prudence est la mère de tous les vices et je ne doute jamais»), qu'on proclame l'amour vrai, pas celui des voyeurs ou des romans-photos, pas celui qui répond au genre «le-bonheur-est-rentré-dans-mon-cœur-une-nuit-par-un-beau-clair-de-lune».

Ils en demandent beaucoup, avec leur exigence et leur simplicité, leur temps, qu'ils perdent, et «il n'en reste presque plus», leurs deux petites idées, que le moulin à laver de la clinique «a tellement aseptisées, paraît-il, qu'il n'en est plus rien resté», leur besoin de splendeur, non de pitié, leur solitude, à deux puisqu'«il n'y a pas assez de place sur la terre pour quitter qui que ce soit», leur faim, leur soif («Mais où caches-tu tous tes robinets? demandent-ils à Isalaide-la-grosse-vache. Nous avons suivi les conduites et elles n'aboutissent pas»), leur bataille effrénée contre la mort.

Le monde est sec, ce qui ne l'empêche pas d'être fou. Il est fou de sécheresse. Pourtant ils en exigent tout et les autres, en leur demandant de quel droit, ponctuent leur quête vive et déchirée de grimaces et de calembours, d'une fausse sagesse aplatie, d'une impuissance manifestée jusque dans le langage qui voudrait exprimer leur automatisme, de l'humour haletant, infantile, essoufflé, percutant qui les révèle à eux comme il nous les révèle.

À la fin, ces enfants, les voici épuisés, pas vaincus mais souhaitant que «le sol les prenne dans les bras chauds qu'il conserve sous la couche de neige». Il faut attendre, cependant, attendre un peu. «Ce ne sera pas long mais ce n'est pas encore le temps.» Inès s'interroge: «Vont-ils nous enterrer comme ils enterrent les noyaux quand ils sèment des cerises, des prunes, des pêches? Vont-ils nous mettre dans des petites boîtes comme des allumettes et des ci-

garettes, ou dans des étuis comme des lunettes?» N'importe, dit Inat. «La mort me laisse aussi indifférente que la vie me laissera froide quand je n'en aurai plus. Il y en a qui prennent l'état d'angoisse dans lequel ils se mettent en pensant à la mort pour l'état de mort lui-même. Quel indice d'indigence d'esprit!»

Elle vient enfin, la mort, dans l'elliptique et l'étonnante beauté de la dernière scène. Les autres ont fini de les «insulter» ou de les «écornifler». Les autres constatent en tremblant que ces anges exterminateurs n'allaient, avec leurs ailes de feu, que vers leur extermination, au bout de leur lumière, au terme de leur destinée. Le moment, enfin, est venu. Inès «se laisse tomber sur Inat qui ne bouge plus, et ne bouge plus elle-même». Et les autres se jettent sur eux, les secouent, les palpent, les tâtent, criant: «Non!» devant l'évidence, les suppliant de ne pas rester là, de continuer à les illuminer, à les terroriser, de repartir. Mais ils sont rendus. Et les autres ne peuvent plus qu'éclater en sanglots et se coucher sur eux pour mieux pleurer...

Par rapport au texte présenté à Sainte-Agathe, cette version «short and sweet» ramasse et synthétise (on le regrette un peu d'abord) certains développements lyriques qui, remarquablement condensés, donnent à l'ensemble encore plus d'efficacité scénique. Faut-il redire qu'il s'agit d'un chef-d'œuvre de notre théâtre? Contrairement à tant de pseudo-créateurs, Réjean Ducharme ne fait pas dans le documentaire, il fait dans la fable et dans la transcen-

dance, dans «l'épopée enfantine et délirante». Philosophe sans théorie, il passe au crible de sa folie notre raison ou au crible de sa raison notre folie. Poète, il substitue à la relation des mots entre eux une autre relation. Il semble ainsi se moquer de tout, c'est pour mieux cerner l'essentiel: le monde qu'il porte en lui, le monde originel qu'il faudrait restituer à l'homme. Et pour mieux accomplir cette tâche herculéenne, se dire, nous dire, il va du dérisoire à l'existentiel, du brouillon insolent et voulu au lyrisme le plus envoûtant, du détaché au concernant, du déchirant au balbutiant, de la destruction de la littérature à sa souveraine affirmation, de la folle floraison au dépouillement le plus total. Il dit tout, humblement, somptueusement. Il est notre frère.

Alain Pontaut

INES PÉRÉE
ET INAT TENDU

L'œuvre dramatique *Ines Pérée et Inat Tendu* de Réjean Ducharme a été éditée à l'occasion de sa présentation au Théâtre du Gesù, le 20 octobre 1976, par la Nouvelle Compagnie Théâtrale.

La mise en scène est de Claude Maher assisté de Claire Ranger, la musique est de Michel Hinton, les costumes et les décors sont signés Michel Demers et les rôles sont ainsi distribués:

Catherine Bégin .... ISALAIDE LUSSIER-VOUCRU
Michelle Deslauriers ... AIDEZ-MOI LUSSIER-VOUCRU

France Desjarlais .... SŒUR SAINT-NEW-YORK-DES-RONDS-D'EAU

Louise Gamache ...... INES PÉRÉE

Benoît Girard .... MARIO ESCALOPE

Marc Grégoire .... PIERRE-PIERRE PIERRE

Paul Savoie .... INAT TENDU

Francine Vernac ...... PAULINE-ÉMILIENNE

TRÈS TRÈS BONNE PIÈCE EN TROIS « ZAKES » DONT LES PERSONNAGES SONT :

INES PÉRÉE : Une enfant de vingt ans habillée en bathing beauty mais chaussée jusqu'aux genoux de bottes en caoutchouc et portant un gant de vaisselle ; elle parle avec un accent anglais une fois de temps en temps.

INAT TENDU : Un enfant du même âge habillé en commis de banque mais fripé et déchiré et chaussé jusqu'aux genoux de bottes en caoutchouc.

ISALAIDE LUSSIER-VOUCRU : Une grosse vétérinaire en blouse blanche avec un stéthoscope autour du cou ; elle se gratte, elle a des puces.

PAULINE-ÉMILIENNE : Une infirmière court vêtue.

MARIO ESCALOPE : Un psychiatre traumatisé.

SŒUR SAINT-NEW-YORK-DES-RONDS-D'EAU : Jeune, timide, lunettes, tout le gréement noir des anciennes religieuses.

PIERRE-PIERRE PIERRE: Un gentleman-cambrioleur en queue-de-pie mouillée.

AIDEZ-MOI LUSSIER-VOUCRU: La fille d'Isalaide, sapeuse-pompière toujours sur le pied de guerre.

UN PAPILLON EN CARTON: Quand il voyage, Inat Tendu le porte épinglé au dos de sa veste; c'est sa petite idée.

UN VIOLON VIOLET: C'est la petite idée d'Ines Pérée.

Et que je dédie aux comédiens qui la joueront par-dessus la jambe sans se casser la tête comme si ce n'était pas leurs affaires, avec des blancs de mémoire de toutes les couleurs, avec maudit que j'ai hâte que ça finisse pour aller m'en jeter un derrière la cravate avec mes petits copains et à YVAN CANUEL.

«PREMIÈRE RAKE»

La nuit.
Mais aussitôt le soleil se lève.

Ines Pérée et Inat Tendu sont réfugiés dans la chapelle ardente désaffectée d'une clinique vétérinaire.

Des tentures noires jusqu'à terre. Deux petits cercueils. Le papillon d'Inat Tendu est accroché au fond, bien en évidence.

Ines Pérée dort par terre, enroulée avec son violon violet dans une tenture noire. Inat Tendu est agenouillé près d'elle; il la secoue.

INAT TENDU — Le soleil est debout. Les oiseaux sont tout excités. Lève-toi toi aussi. Racle ton violon toi aussi et chante ta petite chanson.

INES PÉRÉE — ***What? What?*** Qui ça?... Moi?... Pas encore moi?... On pense que c'est fini, qu'on a traversé, ouf... Puis vroush que broush, on se fait bousculer pour tout recommencer...

INAT TENDU — Bon! Encore pas à prendre avec des pincettes!... Viens, tu te défouleras en chemin. La fête dure peut-être cinq minutes et c'est peut-être les cinq minutes qu'on est en train de gaspiller.

INES PÉRÉE, *se lève en se pendant à son cou* — Tu parlais de cinquantaines d'années avant... Ça raccourcit... Ça baisse! On n'a plus la fête qu'on avait. (...) Qu'est-ce qui s'est passé hier? J'en ai manqué un bout.

INAT TENDU, *va décrocher son papillon* — Je me suis retourné pour voir comment tu allais: tu ne suivais plus. J'ai couru un bon demi-mille avant de te retrouver. Tu dormais debout dans les bras d'un bouleau, le menton dans le creux de sa plus basse épaule.

INES PÉRÉE — ***Oh dear oh my!... You*** déformez assez la vérité, ***you*** me faisez mourir!

INAT TENDU — Tu rêvais à haute voix avec les chauves-souris. Tu étais si occupée: J'ai pu te porter tout le long jusqu'ici sans te déranger. C'est une cave d'hôpital de chiens et de chats. Elle doit servir de chapelle ardente de temps en temps. *(Il lui donne le papillon et lui tend le dos.)* Attache-moi ça, le temps presse!

INES PÉRÉE, *considérant le papillon* — Il a encore rapetissé lui aussi. Au début, ce n'était pas toi qui le portais, c'était lui qui nous portait. Il nous levait de terre au moindre vent. On voyageait en cerf-volant.

Elle lance le papillon comme pour le faire voler.

INAT TENDU, *enthousiaste* — Écoute, je ne voulais pas te le dire tout de suite pour te faire une surprise... Écoute, ça va y être, on est au bord, on est à côté, on arrive! J'ai vu dans le noir une montagne tourner comme un carrousel. Ou c'étaient les lumières rouges et blanches qui roulaient autour d'elle comme les joyaux d'une couronne. Et ça rougeoyait, blanchoyait, ça bouillonnait encore plus fort dans la ville à ses pieds. C'étaient tous les éclats, tous les miroitements et ils étaient tous en rivières, en mouvements. C'étaient des torrents de délire qui se creusaient des lits pour mieux rejaillir!

INES PÉRÉE, *douche froide* — Rouges et blanches! Pauvre enfant! Rouges comme mes lumières d'en arrière? Blanches comme mes lumières d'en avant? *(Elle trouve son archet et son violon.)* Si c'est pour un autre bal d'autos et de camions, je suis mieux de pratiquer mon violon: la dernière fois qu'ils m'ont entendue, ils ont voulu me sauter dessus. Je les ai tellement rasés, ils ont failli m'écraser.

INAT TENDU — Il y a du monde dans les autos, dans les camions, beaucoup de monde...

INES PÉRÉE, *debout* — Tu appelles ça du monde, un moteur? Tu appelles ça du monde, un champignon, un accélérateur? (...) ***Forget it!*** Tiens-moi plutôt pendant que je joue. Je suis trop faible, je ne tiens plus debout. *(Il est derrière elle, elle s'appuie contre lui, il la prend par la taille.)* Tu aimes ça, n'est-ce pas, gros perverti, croiser tes mains sur mon nombril? (...) Que veux-tu que je te chante?

INAT TENDU — «Matin dans un hôpital de chiens et de chats».

INES PÉRÉE, *elle joue du violon mais elle ne sait pas jouer, en chantant, mais elle ne sait pas chanter —*

« J'ai le gosier désodorisanté hé hé hé hé
« Aride extra sec
« J'ai l'estomac comm' les hémisphèr's de Magdebourg-our
« Au fond des talons. »

INAT TENDU, *applaudit* — Bravo bravo! Encore encore!

INES PÉRÉE — Je vais t'en faire des ***encore,*** déformateur! Je vais t'en faire des ***bravo,*** fieffé menteur! ***I*** joue comme un pied et ***I*** chante comme un pou! Je n'ai jamais entendu de musique ***and you*** non plus. Comment ***vou-tu*** que j'aie appris? Comment ***pou-tou*** savoir de quoi il s'agit... Et juger? Apprécier? Applaudir par-dessus le marché?

INAT TENDU — La musique, ça vient d'en dedans. On ferme les yeux et on l'entend.

INES PÉRÉE — Pas vrai! Ça vient d'ailleurs, de l'extérieur. C'est comme la neige la première fois. Ça te donne quoi faire de ton corps, de tes deux pieds, de tes dix doigts.

INAT TENDU, *buté* — La musique, ça vient d'en dedans. On ferme les yeux et on l'entend.

INES PÉRÉE — Si je te joue ce qui me vient d'en dedans, vas-tu me le danser? *(Elle souffle tout son plein d'air entre ses dents.)* Je te l'ai joué, danse maintenant, qu'est-ce que tu attends? *(Elle souffle encore son air.)* Tu ne danses pas? Qu'est-ce qu'il y a? Ça manque de rythme ou quoi?

Elle souffle encore, comme dans les livres, la figure joufflue qui représente le vent.

Isalaide Lussier-Voucru entre en catimini derrière eux. Ils auront des emportements déréglés qui justifieront un peu son comportement étonnant.

ISALAIDE, *soudain* — Au nom de la loi, je vous avertis. Hors d'ici! ***B and E! Breaking and Entrance!*** Sinon Tion-Iti-Tion: viola-tion de propri-iti par effraction! Ceci est la clinique vétérinaire Tou-Tou et Cha-Cha-Cha... *(Elle fait les deux pas du tou-tou et les trois du cha-cha-cha.)*... Et la patronne c'est moi!

INES PÉRÉE, *effrayée, dans les bras d'Inat Tendu* — Inat, Inat, chasse cette vision de makouabe dékouvate!

ISALAIDE, *se gratte* — Qu'êtes-mou mnu froute don mon établissemon? Que mné-mou chife ici?

INES PÉRÉE, *plus effrayée du tout: arrogante* — C'est difficile. Mais vous le comprenderiez si vous auriez les oreilles baissées, penchées, bien inclinées.

ISALAIDE, *se gratte* — Ici, c'est moi qui vouvoie. Chez moi, c'est bibi qui suis polie et les autres qui sont discourtois. Tutoyez-moi! *(Elle se gratte.)* Plus vite que ça!

INES PÉRÉE *volera à la fin dans les bras d'Isalaide qui la repoussera* — As-tu des enfants? Si tu en as, en veux-tu d'autres? Si tu n'en as pas, en veux-tu deux? Dans un cas comme dans l'autre, tu n'as pas besoin de te mettre dans le trouble: on est tout faits, touffus, tout émus, tout élevés, prêts à porter !

ISALAIDE — C'est bien, mais haussez le ton. Parlez à Isalaide Lussier-Voucru comme à un coton. Comme si son daddy, Lussier, avait été lisseur de bottes et Voucru, son mari, craseur de mottes.

INES PÉRÉE, *haussant le ton* — Appelez-moi Ines Pérée. Je voulais me faire appeler Dépêche-toi Latablevafroidir mais le monde trouvait ça trop dur à dire. C'était dans le temps que je ne regardais pas où j'avais mis les pieds. *(Elle serre la main à Isalaide malgré elle.)* ***How*** du yu du ?

ISALAIDE — J'ai perdu le fil. Rappelez-moi ce dont il était question.

INES PÉRÉE — De t'enthousiasmer ! Mais rassure-toi : nous nous forcions. Après vingt ans marchés droit, couchés dehors, on n'est plus si folichons. Regarde nos chaussures. On se les est fait mettre à Terre-Neuve, en bas des marches, par Yabin Trodkrot, le gardien du parking des escaliers. Elles nous couvraient jusqu'aux hanches. Regarde : usées jusqu'aux genoux !

ISALAIDE, *se gratte* — Je vois : c'est la diminution par le haut. Vous avez des symptômes, quoi !

INES PÉRÉE — Et toi tu as des poux, et tu les grattes sur nous !

ISALAIDE — J'ai des puces, c'est tout. Ce n'est pas une honte ; c'est un rude embarras attaché à ma grâce d'état.

INES PÉRÉE, *parlant d'Inat Tendu* — Parlant de parasites, j'oublie d'introduire mon alcoolyte...

qui ne se chauffe pas du même bois que moi: il aime mieux geler!

INAT TENDU, *s'incline, salue, suave* — Inat! Enchaîné de vous connaître!

INES PÉRÉE — ***Oh dear oh my!...*** Regardez-moi ça se trousser et se trémousser. ***God's gift to women!*** Joli et bien mis! Timide et bienséant! Cravate et acrobate! Rebaisse les yeux, recasse-toi le cou, refais ta risette et ta courbette.

INAT TENDU, *ferme* — Ines, j'ai deux mots à dire à Madame. Prends sur toi, détends-toi, assieds-toi là!

INES PÉRÉE — ***Where?***

INAT TENDU — Là! ***(Il la saisit par les épaules et l'assoit bien sec par terre; elle jouera du violon pendant qu'il parlera avec Isalaide.)*** Mamadadame...

ISALAIDE — Tu! Dites-moi tu gros comme le bras.

INAT TENDU, *gêné* — Eh bien tu... Eh bien voilà. Nous sommes un peu égarés, sinon complètement perdus et...

Il s'éclaircit la voix.

INES PÉRÉE — Guette-toi, grosse vache: c'est une colle. Si tu veux te faire mettre dix sur dix, réponds non.

ISALAIDE, *impatiente, se gratte plus fort* — Vendez-vous ou quêtez-vous? Prêchez-vous ou racolez-vous? Finissez, je suis pressée, vous m'énervez!...

INES PÉRÉE, *chante en jouant* —
« Son vase va déborder, on va se faire arroser...
« Ses nerfs vont péter, on va se faire empester... »

INAT TENDU — Enfin bref nous avançons sans but et nous nous demandons si c'est ici que nous sommes attendus...

Grand éclat de violon et de rires d'Ines Pérée.

ISALAIDE, *les bras tombés* — Quou quou QUOI ?

INAT TENDU, *respectueux* — Ce n'est pas vous qui devez nous recevoir, n'est-ce pas ? Si c'était vous, vous nous auriez déjà reconnus. N'est-ce pas ?

ISALAIDE, *psychiatrique* — Je vois, mais je ne comprends pas. Développez, essayez de dégager pour commencer la base de votre sujet, les éléments qui pourraient soutenir un raisonnement...

INES PÉRÉE, *à Isalaide* — Ne t'intéresse pas à son cas, ça ne lui fait pas. Il peut craquer, fragile comme il est.

INAT TENDU, *essaie de s'expliquer* — Nous nous sommes ***trouvés :*** j'ai étudié le mot et c'est bien le bon. Mais ce qui s'est passé avant que nous nous trouvions, ce matin-là, tout nus et tout mouillés, enlacés sur les cailloux glacés de ce littoral...

INES PÉRÉE, *hilare* — ***That's my boy !***

INAT TENDU — ... comment nous sommes tombés là, de la corniche de quel toit, du haut de quelle échelle... je ne sais pas. Mais nous venions avec des idées, chacun une, une en forme de violon et l'autre de papillon. Avec deux bonnes idées comme celles-là, nous n'avions pas à hésiter. Notre place n'était pas dans la rigueur de ce désert. Nous étions invités dans l'été, dans la gaieté. On s'est levés, on s'est dépêchés : on croyait que c'était tout près. Nous avons couru, nous nous sommes fatigués. Nous avons navigué et là nous barbotons. Nous n'avons pas trouvé. Après toutes ces années, nous cherchons encore, à qui qui mieux mieux.

INES PÉRÉE — « À qui qui mieux mieux ! » Nous ! ***I'll be jiggered !*** Il me traite de nous ! *(À Isalaide :)* Tu as vu ! Il m'embarque là-dedans ! Il me met de force de son bord ! *(Enlaçant en rampant les genoux d'Isalaide :)* Ce n'est rien ! si tu savais ce qu'il me sort quand on est tout seuls dehors !... Il me dit : « Vivement qu'on se rende malades... On va se faire soigner ! » Il me décourage de dormir. Il me dit : « Ne te couche pas sur cette route, c'est de la fatigue gaspillée. » Il me dit d'attendre le lit plein de Monde. Il rêve à de l'orgie : Il me défend de manger. « Ne dépense pas ta faim ! » qu'il me dit. « Garde-la pou le banqua ! sauve-la pour le festin ! »

ISALAIDE, *tapote le dos d'Ines, condescendante mais menaçante* — Vous êtes tombés... dites-vous... Sur la tête, peut-être...

INES PÉRÉE, *toujours blottie* — C'est ça, grosse vache, dis-le-lui tout cru, ne le lui rumine pas.

ISALAIDE — Et vous avez comme un trou dans... disons l'estomac. *(Inès fait signe que oui, plusieurs fois.)* Attendez, je vais faire... disons le nécessaire.

Exit, en se débarrassant d'Ines difficilement.

INES PÉRÉE, *à Inat* — Tu vois, ça marche... Elle nous prend pour des demeurés, elle est bien fière, elle se fendrait en quatre. Ils ne donnent l'hospitalité qu'aux malades. Il faut attraper des microbes. Je te l'ai dit combien de fois !...

INAT TENDU — Ris du monde. Fais à ton goût. On s'en reparlera. Quand tu auras fini de jouer la comédie, on verra ce qui restera.

INES PÉRÉE — Il restera toi et moi... Tu ne trouves pas que c'est assez? Non... tu ne trouves pas que c'est assez.

Pauline-Émilienne est entrée, très vamp. Elle porte sur un plateau dix boîtes de conserve. Elle les distribue : cinq à un cinq à l'autre.

INAT TENDU, *sourit, gêné* — Notre hôtesse va-t-elle se joindre à nous ?...

INES PÉRÉE, *à Pauline-Émilienne qui a répondu en haussant les épaules* — ***You*** es bien balancée, ***you ! Oh you you !... You*** dois être fière de ton coup !... *(À Inat :)* Tu ne la festoyes pas, toi ? Écrie-toi, exclame-toi, fais de quoi, quoi ! Il faut s'accueillir mieux que ça entre voisins ! Force-toi ! Dis « Oh mon doux doux » au moins moins ! *(Assise, examinant les boîte, lisant les cinq étiquettes d'affilée.)* Miss Mew... Miss Mew... Miss Mew... Miss Mew... Miss Mew... *(À Inat :)* Et toi ?

INAT TENDU, *poli mais fier* — « Tops... Alpo... Tops... Alpo... Tops » Je veux bien croire que ça se mange mais je ne dîne pas dans ces conditions-là.

Pauline-Émilienne ne se fait pas plus prier pour reprendre les boîtes d'Inat.

INES PÉRÉE, *à Pauline-Émilienne* — Ce n'est pas l'appétit qui lui manque, c'est l'atmosphère qu'il trouve froide. Rassure-toi, mon estomac *(Elle se le flatte.)* n'a pas de ces caprices. Dis-moi seulement comment ça se débouche...

PAULINE-ÉMILIENNE, *en faisant le geste de tourner la clé d'un ouvre-boîte* — Ça s'ouvre ainsi. Avec un ouvre-truc. Un open-machin.

INES PÉRÉE — Ça a l'air goufrement compliqué!

PAULINE-ÉMILIENNE, *Exit, avec Ines qui la suit en se dandinant comme elle* — Je vois. Vous en désirez un qui soit électrique. Vous le recevrez incessamment.

INES PÉRÉE, *revient trouver Inat, toujours se déhanchant* — ***Oh dear oh my!...*** Tu ne trouves pas ça dansant, ici, pauvre enfant? C'est vachement dommage; moi, je trouve ça dansant effrayant...

INAT TENDU, *veut encore qu'elle lui attache dans le dos de la veste le papillon* — Attache-moi ça vite, on s'en va. On a assez perdu de temps, viens-t'en.

INES PÉRÉE, *ne veut pas l'aider* — Pour qu'une infirmière balance... se dandine comme ça, il faut qu'il y ait de la musique pas loin, c'est comme rien. Va-t'en, tête de cochon. Moi, je reste un petit brin.

INAT TENDU, *ôte sa veste pour y attacher lui-même le papillon* — Reste! Reste un petit brin... Juste le temps qu'Isalaide Lussier-Voucru finisse d'ameuter toute cette banlieue piriphérèque.

INES PÉRÉE, *ravie* — Toute une banlieue piriphérèque!... Je vais te dire une chose: j'aime mieux change pour change, tout ce qu'une banlieue piriphérèque me donne à faire, à regarder et à écouter de très près, à dire ou à mentir nez à nez, que... que que... que que que toutes les histoires que tu peux me faire accroire. *(Elle prend la veste papillonnée d'Inat et la serre dans ses bras comme un otage.)* J'ai le goût d'essayer de faire comme tout le monde, juste une fois. J'ai le goût. J'ai le goût de tout laisser tomber. J'ai le goût. Je suis rendue au bout d'être toute seule.

INAT TENDU, *bien déçu* — Toute seule?

INES PÉRÉE — Nous sommes ensemble, c'est vrai. Ah que nous sommes deux! Deux comme deux trottoirs du même côté de la rue! Comme deux moitiés, comme deux fois deux font quatre quarts, comme deux fois moins quelqu'un que si nous étions un par un. Ah tellement deux, tellement ensemble: on ne pourrait pas dire lequel ressemble à l'autre ni à quoi l'un et l'autre ressemblent.

INAT TENDU — Tu me le diras quand tu te seras assez défoulée. Tu te grouilleras et tu viendras avec moi continuer de ne pas te laisser stopper. Nos gens ne sont pas dans cette maison. Ils ne nous recevraient pas avec du ***tuna*** de cha cha

cha et du ***chicken*** de chien. C'est le sacré bon sens.

INES PÉRÉE — L'hospitalité, comme tu la veux, ce n'est pas au commencement, c'est quand on se connaît vraiment, c'est quand on a tout essayé et que tout a bien été ; c'est à la fin.

INAT TENDU — Sinistre !

INES PÉRÉE — J'ai compris, moi. Ces boîtes de Miss Mew sont un test, une épreuve d'initiement. Fie-toi sur moi pour une fois. Tête de mât !

Isalaide entre, portant un ouvre-boîte électrique muni d'un très long fil. Elle se cache derrière les tentures pour épier.

PAULINE-ÉMILIENNE, *sa voix dans l'intercom* — ***One*** électrique ***open*** truc — ***coming-up !*** *(Isalaide lance l'ouvre-boîte au milieu de la scène.)* Un ***electrical*** dé-Miss-Mewer !

INES PÉRÉE, *sacrant en essayant de toutes les façons de se servir de l'ouvre-boîte* — Roquette de tonus !... Bardol de gonbieu !... Gâton de bolf !...

INAT TENDU — Tu t'y prends mal. C'est automatique : tu te mets à quatre pattes, tu miaules et ça marche tout seul. La seule difficulté c'est de comprendre le principe, qui s'inculque plus vite avec des tapes et des coups de pied.

INES PÉRÉE — Qui es-tu pour ironiser, pour juger de leurs intentions ? Ils en font peut-être leurs délices.

INAT TENDU — Des tapes et des coups de pied ?...

INES PÉRÉE — Des aliments en conserve ! Tête de brique ! *(Inat lui enlève la boîte et la lance dans les tentures. Isalaide est frappée, crie, tombe, perd connaissance. Ils se précipitent, lui affolé, elle en riant.)* Elle l'a compris, elle, ton enseignement. Je suis bien contente. Tu ne pourras plus te vanter de prêcher dans le désert.

INAT TENDU, *caresse, enlace, embrasse Isalaide, ah il est nerveux !* — Ah je suis désolé !... Ah excusez, pardonnez-moi !... À l'aide ! Elle a a perdu connaissance... au secours ! Elle perd du sang en grande quantité...

INES PÉRÉE — En quantité négligeable... *(Elle examine la blessure.)* Je vais dire comme on dit : tu as atteint la cible avec un lancer foudroyant. Une chance qu'elle portait un masque d'un pouce d'épais : un demi-pouce de cosmétiques séchés sous un demi-pouce de maquillage frais.

Elle se lève.

INAT TENDU — Tu t'en vas ? Ne t'en va pas. Ne me laisse pas me débrouiller tout seul avec ça. Où t'en vas-tu ?

INES PÉRÉE, *légère, les pieds ne portant pas à terre* — Chercher du peroxyde, du morcuruchrame, du libertobalsam, **something !...** *(Elle sort, rentre aussitôt avec un pansement tout fait, tout ensanglanté, un pansement en forme de calotte qui va seoir comme un gant à la tête d'Isalaide.)* Tiens... Tu peux te décontracter maintenant, pauvre enfant, j'ai tout bien réglé.

INAT TENDU — Mettons-la-la là là... *(Il désigne la place où Ines dormait.)* Elle se sentira mieux, s'il n'est pas trop tard pour qu'elle se sente encore.

INES PÉRÉE, *chacun la tire, par un bras comme un paquet* — En halant, maman! Quelle péniche! (...) Un instant! Je ne suis pas une grue, moi, ni un derrick, ni un cabestan! (...) Ah si elle vaut son pesant d'or, ce n'est pas avec notre salaire qu'on va pouvoir se la payer!...

INAT TENDU — Les contrepèteries, ce n'est pas le temps.

INES PÉRÉE — Dans une fête, chacun apporte son concours, c'est toi qui me l'as dit. Je ne sais pas danser, je ne sais pas jouer de musique. Mal prise comme je suis, j'ai pensé que je pourrais faire des farces... et je me pratique.

INAT TENDU, *couvre Isalaide, plie sa veste pour la glisser sous sa tête* — Si elle était morte! Si je l'ai tuée! Si elle mourait...

INES PÉRÉE, *ravie* — Ils nous accueilleraient en prison! *(L'oreille près de la bouche d'Isalaide :)* Mais pas de saint danger... Si tu voyais comme elle carbure, comme elle respire. C'est comme un jou-ir!

Imite le souffle d'Isalaide.

INAT TENDU — Tu ne me fais pas rire.

INES PÉRÉE — Ah bien c'est pire! Il faudrait en plus que je fusse spirituelle!... Qu'est-ce que c'est ta fameuse fête? Un concours d'humour?

Avec des félicitations pour le premier et des gorges chaudes pour tous les moins bons ?

INAT TENDU, *berce Isalaide dans ses bras* — Mamadadame... réveillez-vous vite, que je vous explique ce qui s'est passé et que nous puissions partir sans que vous pensiez que nous vous avons fait mal exprès...

INES PÉRÉE — ***Do***-nous une faveur, meurs, rends-nous homicides pour que les gens nous trouvent intéressants. Pour qu'on se fasse prendre par la police. Pour que les photograves nous photogravissent. Que les klaxons nous klaxent, que les sirènes nous glapissent, que quelques revolvers nous regardent de travers sans baisser leur unique paupière ! Du monde, bordel, du monde guetteur, interrogateur ! La cave se remplirait, si tu mourais. Quels dangers, quels contacts ! Quels chocs pour moi qui en ai toujours voulu et qui n'en ai jamais donné ou reçu ! Quelles belles occasions de me dépêcher, pour me coller et pour me décoller. Meurs, grosse vache. Ça ferait venir plein de monde et ça ferait peut-être une fête.

INAT TENDU — Elle ouvre les yeux. Elle va parler. Chut !...

INES PÉRÉE — Que dit en ressortant des pommes une managère d'hôpital pour les chiens et pour les chats qui est tombée dans les pommes sous le coup d'une boîte d'aliments pour les chiens et pour les chats ? Pendons-nous à ses babines ! Curiosité chérie, que de crimes on ne commet pas en ton nom !

ISALAIDE, *la tête dans les mains, douloureuse* — Continuez de me bichonner, mon garçon. Je vous donne la permission... Sans façon...

INES PÉRÉE — Ce n'est pas le «mehr licht» de Goethe ou le «qualis artifex» de Néron mais ça se prend bien, ça se laisse rigoler.

ISALAIDE — Vous aussi, ma fille, laissez-vous aller, rassérénez-moi. Plus vous aurez donné plus il vous sera pardonné. Je souffre tellement! Est-ce que je saigne autant?

INES PÉRÉE — Nous t'avons fendu le crâne si profondément, ***big*** vache, que plongeant ma main dans le fond de la plaie j'ai pu déplacer d'un quart de pouce ton idée fixe.

ISALAIDE, *adoucie par les caresses* — C'est cela: dites tout ce qui vous passe par la tête. Parlez comme automatiquement; c'est excellent comme thérapeutique de commencement. Le bon docteur Escalope est en route. Ne vous laissez pas intimider par sa science; continuez de déparler à gros bouillons en sa présence. Facilitez-lui l'établissement de son diagnostic, montrez bien vos symptômes, plus ils seront gros plus il sera fier. Pauvres petits! Le siècle où vous vous êtes déposés est le seul coupable.

INES PÉRÉE — ***You*** as mis le doigt dessus, ***big*** vache! Ce n'est pas à cause de toi, c'est à cause des navires sans voiles qu'ils mettent sur pied à présent, avec des hélices telles qu'elles virent l'océan en moulin à laver, que les bancs de sardines et même les dauphins sont tournoyés comme du linge sale. Et les nouveaux aéroplanes alors! Tous endettés, tous enragés! Pas un colibri, pas une oiselle assez fragile pour qu'elle ne les rende pas paranoïaques et qu'ils ne la carambolent pas hors de leurs corridors! C'est à cause des camions. À cent à l'heure, ils ne donnent aucune chance de ne pas se faire écraser à la chenille zébrée et au crapaud à ressort qui ont commencé de traverser l'autoroute!

INAT TENDU — Madadadame, ne retenez pas les paroles de ma pauvre amie. Elle a marché trop longtemps trop droit. Ça l'a aigrie et rendue dure.

INES PÉRÉE — Regarde-moi celui-là. Suave dans ton visage, venimeux dans ton dos. Tout à l'heure, quand tu gisais, la pipe à moitié cassée comme on dit, tu ne sais pas ce qu'il a dit de toi textuellement. Il a dit: «Quelle pomme pleine de vers, quelle pelure ratatinée bien avant l'hiver!» Et aussitôt après: «Pour devenir si laide que de mal elle a dû faire, comme elle a dû pécher souvent mortellement par omission d'hospitalité!»

INAT TENDU, *à Isalaide* — Ce n'est pas vrai, c'est des farces qu'elle fait. C'est une joueuse de violon sans rôle devenue par déception une comique qui se pratique. C'est dur à comprendre mais faites un effort; moi j'essaie bien de comprendre que vous nous traitiez comme des molades monte-haut. *(Des bruits de pas; il s'affole; il brusque Inès.)* C'est le rétrécisseur d'idées diplômé. C'est le docteur!

Pendant que Inat se bat avec Ines pour l'emmener, l'infirmière entre. Cela marche droit en regardant droit devant soi. Inat rassuré laisse aller Ines qui suit l'infirmière en la singeant. L'infirmière ressort par l'autre côté de la scène. Ines la suit encore un peu, puis rentre en courant.

INES PÉRÉE, *saisit son violon, va s'embusquer derrière les tentures* — Chut!... Elle s'en revient! Et elle va y goûter là, oh là, Chut!...

L'infirmière rentre: même jeu.

INES PÉRÉE, *fonce sur elle en criant, lui assène sur les fesses une couple de bons coups de violon* — Minette! Snobinette! Marie-Chantale-Ginette-Colette! Comme elle ne se met pas le nez dans nos affaires!... Hé! elle ne veut pas perdre sa taille de guêpe! S'occuper des autres, ça peut rendre nerveux, et la nervosité c'est bien connu porte à grignoter, et grignoter fait prendre du poids!

L'infirmière est ressortie, imperturbable.

INES PÉRÉE — Mésire de derbol de bieudon!
ISALAIDE, *à Ines* — Fais des mains et des pieds pour retenir ton petit copain. Il a l'air d'être le plus sage des deux mais c'est celui qui sait le moins bien où est son bien. Le bon docteur Escalope tarde. Je vais voir, je reviens.
INAT TENDU, *choqué, traîne Ines hors de la scène* — Je vais lui en faire, moi, elle, des négociations sectorielles!

INES PÉRÉE, *se débat comme un diable* — Non! Non! Mon archet! Ta veste! Ton papillon! *(Des coulisses:)* Pitié, Inat! Nous n'avons que ça: deux bonnes idées! Pitié, Inat: juste le temps d'aller les récupérer!

ISALAIDE, *des coulisses* — N'ayez pas peur, Escalope chéri... Je les ai testés, ils ne sont pas dangereux. Au contraire: ils aiment caresser et ils raffolent du Miss Mew. De vous dépend leur salut. Vous êtes leur bonbon, leur docteur life-saver!

INES PÉRÉE, *des coulisses* — Non, non et non! Je ne t'accompagne pas dans ces conditions! C'est bien de malheur mais tu viens de perdre un joueur!

Isalaide et Escalope entrent, elle d'avance, lui à reculons.

ISALAIDE — Les petits sacripants sont envolés! S'ils pensent que nous allons leur courir après pour leur exercer notre apostolat! *(Elle se gratte.)* Asseyez-vous à la bonne franquette. Je vais, je vole, je les rattrape!

INES PÉRÉE, *des coulisses* — Tu veux te priver de tout, je te reconnais bien là! Masoshit!

ESCALOPE, *tend l'oreille* — Quel vocabulaire! *(S'assoit par terre, empoche rapidement les boîtes de Miss Mew, l'ouvre-boîte.)* Ah, mais je le reconnais, c'est ***mon*** vocabulaire! *(Flatte ses poches bourrées.)* Douce ***volupeté!***

ISALAIDE, *rentre, s'assoit collée sur Escalope* — Volatilisés! Disparus! Sauvés!

ESCALOPE — Les victimes consentantes sont contentes. Les autres sont trop indépendantes ; elles sèment la zizanie. Mon asile n'est pas un enfer, c'est un bordel. Tout le monde balance et puis tout le monde danse, sur le même pied. Ce n'est pas la liberté que je donne, c'est l'égalité.

ISALAIDE — Vous êtes si drôle quand vous voulez !... *(Elle rit.)* On ne s'étonne pas que les plus jolies filles d'Harvey-Jonction soient pendues à vos basques !... *(Elle soupire.)* Ah quelle aventure !... Ils mordaient dans le métal des boîtes de Miss Mew pour tâcher de les déboucher ! Ils avaient leurs quatre mains sur moi... *(Elle prend les mains d'Escalope pour démonstrer.)* et ils me lutinaient... ainsi. Tellement que si je n'avais pas connu votre réputation, je les aurais crus évadés de votre établissement.

ESCALOPE, *retire ses mains brutalement* — Moi vivant, aucun passionnaire ne s'échappera de mon établissement. Je sais trop le tour de les faire se sentir bien. Je suis trop compétent !

ISALAIDE, *pour tâcher de l'intéresser* — Comme je vous l'ai dit au téléphone, la petite n'avait presque rien sur le dos. Elle portait un bikini sans haut... *(Les mains sur les seins.)* ... ***you know?***

ESCALOPE — ***Topless !...***

ISALAIDE, *l'index en l'air* — Vous l'avez ! C'est cela ! Vous avez deviné ! Nous sommes faits pour nous comprendre !

ESCALOPE — Ôtez votre haut ! Je voudrais voir ça !

ISALAIDE, *petite tape gloussante sur les doigts d'Escalope* — Fieffé flatteur !

ESCALOPE, ***beaucoup de classe, de gourme*** — Je voudrais voir l'attraction terrestre s'exercer sur vos masses affalées. La peau se détacher de vos os ! *(S'éclaircit la voix :)* Les muscles fondus en quelque sorte et qui clapotent, qui glougloutent comme un pouce d'eau dans le fond d'une trop grande botte.

ISALAIDE — N'importe ! Je vous ai, je vous garde ! *(Elle se lève.)* J'ai commis un petit rien dont je tiens que vous me disiez ce que vous en pensez. Vous avez tellement le goût !... Ne bougez pas, je reviens.

Exit.

ESCALOPE, *voit l'archet, l'examine, l'enfouit dans son pantalon* — Que vaut un archet ? $0.37 ? $0.38 ? Bah ! C'est mieux que pas de douce ***volupeté*** du tout.

INES PÉRÉE, *des coulisses* — ***I'll be jiggered!***

ESCALOPE, *dresse l'oreille, tourne la tête, Isalaide rentre en pressant sur son cœur son œuvre encadrée* — Vous faites dans la photographie d'art !... ***I'll be jiggered!***

ISALAIDE — Vous vous trompez. *(Glousse.)* C'est un petit poème. L'ai-je fait encadrer par vanité ? Point ! Si ces moulures ne m'avaient pas coûté $10 et si je n'avais pas passé une heure à enfermer mes rimes dedans, mon pauvre talent n'aurait pas trouvé grâce à mes yeux. *(Lit en se grattant :)*

«Quand je me trouve loin de toi
«Ce qui arrive trop de fois
«Je perds le nord, je mords mes doigts
«Je me flanque à l'eau et me noie.»

ESCALOPE — Est-ce bientôt tout?

ISALAIDE — ***C'est*** tout. (...) Alors?

ESCALOPE — Eh bien... le seul compliment que je peux vous faire, si c'en est un... *(S'éclaircit la voix:)* c'est que ces octosyllabes sont originaux... Qu'ils ne ressemblent pas, pas du tout, à ceux de Beaudelaire, Verlaine, Rimbaud. Et que si je pensais ça d'eux et de vous, ils se retourneraient si fort dans leurs cercueils que leurs cénotaphes s'écrouleraient sur leur dos comme des châteaux de cartes de crédit. *(Isalaide se jette en pleurant dans ses bras découragés.)* Ça pique?

ISALAIDE — Non: ***sadique!***

ESCALOPE — Là! Là! Coulez! Videz-vous! Quand on a le cœur tendre, on le dit! On ne laisse pas les autres sur l'impression qu'il est à l'image du reste de vos charmes de cinquante-cinq ans. J'aurais pris garde si j'aurais su, j'eusse fait plus attention... Et je ne serais pas pris dans une situation épineuse, odieuse, honteuse, en tout cas incompatible avec mon degré dans l'échelle de la société. Que diraient mes passionnaires s'ils voyaient labourer mon nez dans le mou de votre cou? Ils me doivent des égards! Quel serait leur sort!

L'infirmière passe encore; Escalope se lève, laisse tomber Isalaide comme un sac, siffle comme un mainate.

ESCALOPE — Vos cheveux sont si souples, Pauline-Émilienne, si agiles et si nombreux que si vous vous mettiez sur la tête ils vous porteraient, comme les ambulacres d'une étoile de mer. Et votre jupe desescaladerait le lait solide de toutes vos cuisses. Sans compter que dans cette position, les larmes de votre pudeur offensée mettraient bien moins de temps à tomber à terre.

Exit, en suivant l'infirmière.

INES PÉRÉE, *sort de nulle part, poursuit Escalope avec une hache de pompier* — Rends-moi mon archet ou je t'abats comme un séquoia! *(Rentre avec son archet, son violon et plus de hache; vient s'asseoir à côté d'Isalaide en essayant son archet.)* Ouf! Il lit les notes encore. Les archets ont des yeux vous savez, des vrais yeux, bien crevables. *(Prend Isalaide par le cou.)* Je t'entendais geindre tout à l'heure, ça me faisait grincer des dents. Nous jouons mal, dansons mal et blaguons mal. Et toi, tu pleures mal. C'est le point en commun que je cherchais pour te confier deux secrets. Je suis une licheuse. Je déchire les tuyaux des pissenlits et je liche le sang blanc des parois intérieures. Je suis une sipeuse. Quand il a plu et que je passe avec une cuiller près d'une flaque un peu boueuse, je me penche dans son miroir et je le sipe comme une soupe.

ISALAIDE, *s'essuyant les yeux* — Ah jeunesse!

INES PÉRÉE — Pire que ça! C'est bien simple: juste à y penser, ma gorge brûle, mes lèvres sèchent, mes yeux piquent... J'AI SOIF! Qu'est-ce qu'on fait quand quelqu'un a soif?

ISALAIDE, *croyant qu'elle plaisante* — Je ne sais pas. Je donne ma langue au chat.

INES PÉRÉE — Elle est trop pâteuse, il n'en veut pas; mais assez plaisanté! Où caches-tu tous tes robinets? Nous avons suivi les conduites et elles n'aboutissent pas.

ISALAIDE — Je regrette mais l'eau potable est comptée et la municipalité m'en alloue juste assez pour les besoins de mon business. Ne lisez-vous donc jamais les journaux? Le lac Ontario et le lac Érié ont été tout bus par des algues géantes. Il ne reste qu'un pied de profondeur dans les lacs Huron, Michigan et Supérieur!

INES PÉRÉE — Vous êtes toutes les mêmes, les managères de clinique vétérinaire. Pour mettre de côté quelques gorgées d'eau, vous êtes prêtes à faire pleuvoir des tonnes de salive sur nous! Mais c'est un crime qui ne paie pas! «J'espère que vous vous noierez dans votre bain!» Voilà ce que j'ai répondu à la dernière qui m'a raconté cette histoire de lacs saugrenue. Elle a cru que je lui montais un bateau, elle a fait une tempête dans un verre d'eau... ettttt... c'est revenu au même.

ISALAIDE — C'est invraisemblable!

INES PÉRÉE — ***You*** penses encore que ***I*** suis braque. La question n'est pas que ça me dérange mais bien que la répétition de l'accusation commence à me taper sur les nerfs. C'est pourquoi je vais te donner deux bonnes preuves du contraire. Je ne lis pas les journaux parce que c'est un crime d'enlever le pain de la bouche des épouses des pauvres journalistes. Tu ne me diras pas que ce n'est pas logique, que ce n'est pas suivi comme raisonnement. Seconde preuve du contraire: la plaie de la terre ce n'est pas la guerre, c'est les bijoutiers qui se mouchent avec leurs calendriers et se curent les dents avec les aiguilles de leurs réveille-matin. Mais il est vrai que si c'est toi qui es braque, je perds mon temps à te constituer un dossier sur la santé de mon intelligence. Je suis contente de ne pas avoir eu de mère. J'aurais pu frapper une énergumène lourde comme toi et j'aurais été prise pour l'élever, la hisser sur un piédestal.

ISALAIDE, *pas impressionnée* — C'est un beau garçon, ton ami. Où l'as-tu mis?

INES PÉRÉE — Je ne pouvais plus sentir son opiniâtreté. Comme il n'y a pas assez de place sur la terre pour quitter qui que ce soit, j'ai pris mes grands mots, mes grands moyens et je l'ai escopestropentudrifé. *(Tendrement.)* Es-tu mariée, grosse ***cow***?

ISALAIDE — Je suis veuve. J'ai une fille. Elle est pompière et vertueuse. C'est sa hache de graduation que tu brandissais tout à l'heure.

INES PÉRÉE, *tendre, c'est un sujet qui la touche* — Comment qu'elle s'appelle?

ISALAIDE — Aidez-Moi...

INES PÉRÉE — Aidez-Moi comme quand on crie au secours?

ISALAIDE — Il y avait de quoi. Onil s'était crevé un anévrisme en me montant dans ses bras jusqu'au palier de l'urgence. C'était un petit mari maigre et gentil.

INES PÉRÉE — Que faisait ton bébé quand il était dans ton corps? T'explorait-il comme une géographie? Se hissait-il jusqu'à ta bouche pour se laisser glisser jusqu'au fond de tes pieds? Quand il n'avait qu'un jour, était-il assez petit pour ramper dans ton petit doigt comme dans un tunnel? Pour aller regarder dans ton ongle comme dans une fenêtre? Je ne peux pas savoir, moi, je n'ai pas commencé, je n'ai jamais été comme un grain de blé, j'ai toujours été comme je suis là. Sois bonne avec moi, raconte-moi. Si tu me dis tout, bien et beau, je vais t'aimer, je te jure.

ISALAIDE, *embrassée par Ines* — Arrête, je suis trop sensible!

INES PÉRÉE — Tu es trop ***gênée... Trop sensible,*** c'est comme on était jadis, Inat et moi. On entendait des voix de paysans dans le champ et on leur donnait des noms pour escalader plus vite la montagne, pour leur crier, de plus haut notre amour... pour que le cœur qu'on leur donnait batte plus fort.

ISALAIDE — Un beau garçon... une jolie fille... je ne comprends pas que les autres ne vous aient pas adoptés tout de suite.

INES PÉRÉE — Tu veux dire: tu vas nous adopter?

ISALAIDE — Pas de la façon emballée, enthousiaste que tu le dis... non!... Je suis trop, comment dirais-je... Revêche. Revêche, c'est cela. Tu comprends?

INES PÉRÉE — ***Big*** excuse!

ISALAIDE — Je veux vous adopter par ***personne interposée...*** Mais je veux en savoir plus avant. Raconte-moi. Que faites-vous toute la journée?

INES PÉRÉE — Nous allons de porte en porte, comme des colporteurs. Nous disons: «Prenez-nous et aimez-nous.» Personne ne répond oui. Je dis parfois à Inat: «Bâtissons-nous une maison.» C'est par découragement. Quelle horreur: vivre dans sa propre maison. Ce doit être encore plus dur que vivre dans sa propre peau. Comme d'autres murs par-dessus ceux qui m'emmurent déjà derrière mes yeux. Quel accueil peut-on trouver dans sa propre maison? Son propre accueil? Quel effet je me ferais si je me mettais à m'embrasser? Comprends-tu? J'aime encore mieux t'embrasser, toi, grosse vache.

Elle enlace Isalaide.

ISALAIDE — Si tu m'aimes, gratte-moi. *(Son dos.)* Là.

INES PÉRÉE, *gratte* — Alors? Te sens-tu moins revêche?

ISALAIDE — Encore.

INES PÉRÉE, *gratte* — Alors? Quand ça ne te piquera plus, vas-tu être emballée, enthousiaste?

ISALAIDE — Si tu écoutes comme tu parles, je dois renoncer à me faire comprendre. Tu me dis que je te plais puis l'instant d'après, tu me traites de grosse vache pâteuse.

INES PÉRÉE — Ce n'est pas pire que tous les quolibets qu'on se fait répondre, genre blancs-becs foireux et pubertaires prurigineux impénitents. C'est un pas en arrière un pas en avant, œil pour œil dent pour dent; c'est la seule danse dont on ait suivi les cours, c'est le tango sec et court.

ISALAIDE — Finissons-en clairement: je t'aime mais je ne peux rien faire qu'user de mon influence pour vous faire admettre à l'asile de Harvey-Jonction. Et puis cesse de me gratter; tu grattes trop tendrement, ça finit par... me chatouiller...

INES PÉRÉE — Désagréablement?...

ISALAIDE — Écoute... Quelqu'un qui ronfle.

INES PÉRÉE — C'est Inat qui dort. Il est tombé comme une masse. Si on ne le dérange pas, épuisé comme il est, le sommeil finira par l'assommer et il pourra tant qu'il voudra ne pas être de mon avis. (...) Pensez-vous qu'Escalope nous apprécierait si nous nous laissions enfermer dans son asile?

ISALAIDE — Ça ne fait pas un pli. Je peux te l'assurer, connaissant son slogan: «Moi vivant, aucun dément ne s'échappera de mon établissement. Je sais trop le tour de les faire se sentir bien. Je suis trop compétent.»

INES PÉRÉE — Qu'est-ce que c'est? *(À l'oreille d'Isalaide:)* Un bordel?

ISALAIDE — Dans le langage d'Escalope, c'est le contraire d'un enfer.

INES PÉRÉE — Je te le demandais mais je le savais. J'ai entendu, j'écorniflais. *(Réfléchit.)*

O.K. ! On va aller contrôler l'état d'Inat. Aussitôt qu'il ne sera plus réveillable, tu pourras appeler le panier à salable.

Exit avec Isalaide, un bras autour de son cou. Aussitôt Escalope entre.

ESCALOPE, *cherchant autre chose à voler* — J'ai été planquer les boîtes de Miss Mew... Hé hé !... Pas fou !... *(Ouvrant un des deux petits cercueils.)* Douce ***volupeté !*** Je vais le cacher derrière ces rideaux. On va bien voir si les poétesses tardives fraîches émoulues sont assez taquinées par les vers et énervées par leur inspirateur pour ne pas s'apercevoir qu'il manque un petit cercueil à leur arc. *(Chante :)* « Calmez ce bruyant délire car ça fait peur aux oiseaux. » Je suis un bon chanteur et je suis doublé d'un bon annonceur. *(Se faisant avec le bras un cadrage de gros plan de télévision.)* « Chers télexpectateurs, bonsoir. Et voici sans plus tarder le bilan tragique de la longue fin de semaine du congé de l'araigne. 53 morts. 503 blessés... *(Entre Saint New-York, timide et souriante.)*... 5003 cocus. »

NEW-YORK — Je suis... *(S'éclaircit la voix :)*... Sœur Saint-New-York-des-Ronds-d'Eau.

ESCALOPE — Je vais vous répondre comme la petite : ***I'll be jiggered !***

NEW-YORK — La petite qui ?

ESCALOPE — La petite que la grosse m'avait fait accroire qu'elle était nue en haut pour me mettre l'eau à la bouche. Il y a des grosses dont la fin justifie les moyens et la fin de la grosse dont je vous cause c'est de me mettre l'eau à la bouche. À mon âge!

NEW-YORK, *si gentille* — Vous n'êtes pas vieux. Vous portez bien votre âge. Vous êtes encore vert, vous savez.

ESCALOPE — ***What's your racket?***

NEW-YORK — Ah?

Le ah *de New-York est prolongé et caractéristique de sa naïveté.*

ESCALOPE — Dans quoi faites-vous?

NEW-YORK — Je ne fais pas. Je suis juste venue chercher Maurice-Matte, mon petit chat. L'assistante de Madame Lussier-Crié m'a téléphoné qu'il est prêt.

ESCALOPE — Ce n'est pas Madame LeSucrier mais Madame LeCendrier. Quant à Maurice-Matte, c'est un tout autre problème d'identité : il a avalé de travers... son baptistaire...

NEW-YORK — Il n'est plus prêt?

ESCALOPE — Il n'est plus. Point final.

NEW-YORK, *un silence, triste* — Ah?

ESCALOPE — Il a su qu'il avait une cervelle d'oiseau... et il se l'est flambée... au cognac! *(Autre silence triste de New-York.)* Assoyez-vous, assoyez-vous!

NEW-YORK — Où?

ESCALOPE, *s'accroupissant* — Sur mes genoux sur mes genoux!

NEW-YORK, *obéissant* — Un petit peu seulement. Je suis pressée; le coffre-fort m'attend.

Se relève aussitôt pour partir, elle renifle, elle pleure.

ESCALOPE — Vous partez? Sans régler la note? *(L'index en l'air.)* C'est un lapsus, ou je ne m'y connais pas. Et je m'y connais, croyez-moi!

NEW-YORK, *fouillant dans ses grandes poches* — Excusez... je terds la pête... tête la perds... perds la tête...

ESCALOPE — C'est le cercueil qui a coûté cher. Il y en avait deux avant, il n'en reste qu'un; c'est la preuve. Total: $158, remise statutaire de 20% aux suppôts du Vatican comprise...

Ne peut s'empêcher de se frotter les mains.

NEW-YORK, *sort d'abord un gros revolver; Escalope hausse les mains* — Ce n'est pas pour vous faire peur, c'est parce que mes sous sont dans la même poche, tout au fond... *(Elle commence à donner à Escalope, poignée par poignée, les nombreux billets de banque fripés du fond de sa poche.)* J'ai apporté toutes mes petites économies en cas. J'espère que ce sera assez.

Pleure de plus en plus.

ESCALOPE, — *empoche sans compter* — Amenez-en, amenez-en. On verra... plus tard...

NEW-YORK, *perdue* — ***Ah?*** *(Sanglots.)* Ah! Ah!

ESCALOPE — Vous versez des larmes! Sur un chat! Qu'est-ce que vous ne verseriez pas si vous vous mettiez à verser sur moi?

NEW-YORK — Ma petite sœur me l'a apporté au parloir lors de sa dernière visite. Elle l'avait gardé dans ses bras tout le long dans l'autobus de Magog pour ne pas risquer de le perdre. Elle était si fière de son coup. Elle est haute comme trois pommes.

ESCALOPE, *accusateur* — Vous couchiez avec cet animal.

NEW-YORK — Il était propre, vous savez. Impeccable.

ESCALOPE — Vos arrière-pensées sont les sous-vêtements de votre conscience et c'étaient eux qui étaient sales.

NEW-YORK — Ah?

ESCALOPE — Je me présente: Mario Escalope, ingénieur des âmes. Mario est le masculin de Maria. C'est une question de sexe. Ou je ne m'y connais pas. Et je m'y connais. Croyez-moi!

NEW-YORK, *donnant le reste de son argent* — Vous ne comptez pas? Vous feriez mieux, vous savez, pour savoir s'il y en a assez. L'autre jour, j'ai donné deux dollars de moins à notre armurier et à la fin, c'est moi qui en ai le plus souffert: je l'ai tellement regretté.

ESCALOPE — Les larmes sont glandulaires comme tant de choses sur cette terre féminine singulière. Et quand j'y pense, j'y repense tout de suite, je m'emporte et je souffre que vous ne les pleuriez pas dans un entonnoir pour que je puisse les boire.

NEW-YORK, *ça la fait pleurer plus fort* — Je suis si troublée, excusez-moi, c'est comme si j'entendais double, je ne vous comprends pas.

Elle relève sa robe pour cacher son visage et son chagrin dedans; ça découvre son magnifique jupon rose bordé de dentelles.

ESCALOPE — Je vous en prie...

NEW-YORK — Excusez-moi encore. *(Elle rabat sa robe.)* Mais, vous savez, Anne-Anne était tellement contente de m'apporter de si loin son chaton et de l'avoir nommé Maurice-Matte comme dans une émission de télévision.

ESCALOPE, *choqué* —Je ne voulais pas dire «je vous en prie baissez-moi ça!» Au contraire! Je voulais dire «je vous en prie levez votre jupon rose aussi». Vous m'avez interrompu, défait-chanté et débigoudi!

NEW-YORK, *qui s'en va* — Excusez-moi une dernière fois. Et si je ne vous ai pas bien payé, n'oubliez pas, revenez sur moi. Ne me raccompagnez pas, je ne me le pardonnerais pas, j'ai assez fait mal aller de choses comme c'est là.

Exit.

ESCALOPE — C'est ça! Écris-moi! Téléphone-moi, (...) Elle est anal... *(S'éclaircit la voix:)* ... phabète! Et elle n'a pas plus de téléphone que de...

S'éclaircit la voix en se lançant à sa poursuite. Aussitôt, Escalope sorti, Ines et Isalaide entrent, portant puis déposant Inat endormi dur.

ISALAIDE — Avez-vous été loin?

INES PÉRÉE — On achève le tour du monde. On est parti de Bonavista... vers le levant. Si on n'arrête pas vite quelque part, il ne nous reste plus grand temps... C'est une question de vie ou de mort comme vous dites, tu comprends. Ça me fait froid au ventre. Mettons-lui sa veste-papillon. Même s'il est sale et froissé, c'est son idéal, il ne pourrait pas s'en passer.

ISALAIDE, *aidant Ines à passer à Inat sa veste-papillon* — Il est si jeune et si mignon! (...) Tu ne trouves pas?

INES PÉRÉE — Je suis si jeune et si mignon moi-même... Alors tu sais...

ISALAIDE — Vous n'avez jamais dormi cautre à cautre? Dans les bras l'un de l'autre? *(Ines fait signe que non.)* Jamais?

INES PÉRÉE — Quand je tombe endormie, il me réveille. Ou il me porte. Et quand c'est lui qui tombe, très rarement, très accidentellement, je le veille, je protège son sommeil.

ISALAIDE — Vous n'avez jamais jamais ***couché*** ensemble...

INES PÉRÉE — Deux fois. En prison, à Cherbourg et en prison à Hambourg. Dans des lits de fer à deux étages avec des trous comme des passoires. Moi à l'étage du haut, lui à l'étage du bas. On s'est évadés. Si tu avais vu Inat. Quand il devient nerveux, c'est comme un passe-muraille.

ISALAIDE, *insiste, insiste* — Mais l'amour, l'amour! Vous l'avez toujours à la bouche... Vous ne le faites pas?

INESPÉRÉE, *écœurée* — Inat et moi? ***Me*** à ***him*** à ***me?*** Juste tous les deux? TOUT SEULS? Tu n'est pas seulement pingre et veule, ma pareule; tu es ***sick*** par-dessus le marché, complètement ***perverse*****.

ISALAIDE — Tu aimes mieux embrasser moi qu'embrasser lui? Eh bien tu n'as pas de goût! C'est tout.

INES PÉRÉE — Ah! ***Never mind!***

ISALAIDE — Où as-tu pris cet anglais?

INES PÉRÉE — À Bombay, obsédée... où notre problème, qui ne pouvait pas être de nous caresser nous-mêmes, devait jouer des coudes pour frapper aux portes de maisons, tant l'autre misère, comme des trains mous se télescopant plein le trottoir, nous tirait, nous poussait, nous bousculait, car à Bombay aussi, on cherchait l'hospitalité. Dans les noires embrasures, dans la puanteur de scènes d'agonie chaque fois plus laides, plus repoussantes, qu'est-ce qu'on demandait, bien gentiment? ***The hospitality!*** Parfaitement! « Si c'est eux qui nous attendent, disait Inat, si c'est eux qui nous ont choisis, nous nous laisserons comme eux gonfler le ventre par les amibes et rétrécir la poitrine par la tuberculose. » Je disais à Inat: « Arrête: ils n'ont que la

* En anglais.

peau, les os et leur horreur!» Il répondait: « Qu'est-ce qu'il te faut?»

ISALAIDE, *se gratte et bâille en même temps* — Allège un peu tes salades. C'est trop riche toute cette huile-là, ça m'épuise l'estomac. Et ne mets pas le paquet, donne-moi juste les petits détails piquants.

PAULINE-ÉMILIENNE, *dans l'intercom* — Puis-je passer?

ISALAIDE — Depuis quand me demandes-tu la permission de passer, Pauline-Émilienne?

PAULINE-ÉMILIENNE, *dans l'intercom* — Je ne demande pas la permission, je demande si la voie est claire.

ISALAIDE — Elle est assez claire pour toi.

PAULINE-ÉMILIENNE, *idem* — Je peux passer alors.

INES PÉRÉE, *imitant la voix d'Isalaide* — Tout passe et tout lasse, Pauline-Émilienne. Passe, on ne te regardera pas. Passe, on ne voit pas le temps passer. *(À l'oreille d'Isalaide:)* On va faire semblant de l'ignorer, d'accord?

PAULINE-ÉMILIENNE, *idem* — C'est bon. Je viens.

INES PÉRÉE, *entraînant Isalaide* — Siffle un air, on va faire semblant de danser. Ça va la placer.

ISALAIDE, *chante, bien; Ines danse comme un crabe; l'infirmière passe* — « Valse grise qui nous grise len-te-ment»... Tu danses comme...

INES PÉRÉE — Comme un pantin. Comme un crabe. Je sais. Quand je te redirai que personne ne nous a jamais invités, tu ne te demanderas plus pourquoi c'est.

L'infirmière est passée...

ISALAIDE — Alors, vous avez été partout et vous n'avez rien vu, rien su, rien eu. Alors, quand vous avez demandé la porte comme des chiens, vous avez tout dit, vous n'avez plus rien à raconter. Vous êtes la platitude incarnée, quoi!

INES PÉRÉE — Un larcin de tube de pâte dentifrice à la menthe, est-ce piquant?

ISALAIDE — C'est plus ragoûtant que tes ***agonies puantes*** de tout à l'heure ***dans les noires embrasures.*** Raconte.

INES PÉRÉE — Non! J'ai trop horreur des pupilles que les petitesses titillent, des yeux de fouine, d'Escalope, de voyeur qui se voit assis entre les jambes d'une fille qui marche immobile.

ISALAIDE, *flatte les cheveux d'Inès* — Je t'ai fait faire tes premiers pas de danse. Qu'est-ce que ça donne? Le méchant continue à sortir. Aimes-tu mieux tes blessures ou guérir? Choisis! Il est encore temps de refuser les traitements du ***nuthouse.***

INES PÉRÉE, *pas assurée comme au début de la scène, trop tentée* — Qu'est-ce que ça veut dire ***nuthouse?*** Bordel? Pas enfer, j'espère?

ISALAIDE — Fie-toi sur moi. (...) Raconte le viol. Pardon: le vol.

INES PÉRÉE — La pâte à dents? Inat y a goûté puis il a craché; il trouvait trop qu'elle ne goûtait pas l'hospitalité. Il a préféré garder sa rage de dents, et il l'a jetée!

ISALAIDE — À Harvey-Jonction, il y a vingt dentistes, dix pour les femmes, dix pour les hommes.

INES PÉRÉE — Tu me mets l'eau à la bouche.
ISALAIDE — Je suis bien contente.

Embrasse Ines.

INES PÉRÉE, *émue* — Est-ce que nos hôtes nous tireront nos chaises à notre place quand nous entrerons dans la table et que nous sortirons de la table ?
ISALAIDE — Tu n'est pas sérieuse... Hé !...
INES PÉRÉE, *déçue* — On va bien voir ! Hé !... Je veux et j'exige pour chacun de nous, en retour de tout ce qui peut nous rester de doux, une chambre à dix lits, dix baignoires, dix images peintes dix fois bien encadrées, dix lumières de dix watts et dix exemplaires de toutes les sortes d'affaires. C'est comme des rois qu'ils nous traiteront ou ils s'en passeront !
INAT TENDU, *tout à coup dans son sommeil* — Gnagnan... Gnagnan... Gnagnan...
ISALAIDE — Il appelle une mère... la mère... ça me met toute à l'envers.
INES PÉRÉE — Il n'a pas dit ***maman,*** il a dit ***gnagnan. Gnagnan... Gnagnan... gnagnan :*** j'ai bien compris.
INAT TENDU, *idem* — Gnagnan... Gnagnan... Gnagnan...
INES PÉRÉE — Tu as vu : gnagnangnangnangnangnan. Clair et net ! Pas de doute qui peut se glisser, même dans les trous d'un crâne d'éponge.
ISALAIDE — Gnagnan ou maman... c'est le ***a-an*** caractéristique des cris de bébé.

INES PÉRÉE, *tape du pied, violente* — Vas-tu arrêter d'interpréter, de tripoter sa pauvre intimité? Achèves-tu de lui saloper ses gémissements! *(Isalaide, insultée, se met à bouder.)* Pardon. J'ai surpassé ma pensée. Je voulais juste dire... *(Câline :)* tais-toi, chérie, lâche ça. *(Penchée sur Inat qui va encore gémir.)* Dodo... Tranquille... À ton réveil demain matin, sinon le mois prochain, il y aura du lait chaud jusque par-dessus les tasses et des œufs frais jusque tout alentour des assiettes. Ne sois pas inquiet. Ines te prépare tout. Ines s'occupe de tout. Chut... *(À Isalaide :)* Dis de quoi, chérie. J'ai horreur qu'on boude. C'est coquetterie et compagnie.

ISALAIDE — Tu m'as dit : «Tais-toi, chérie.» J'obéis. Je me tais.

INES PÉRÉE, *la regardant bien fixement* — Dans tes yeux, tout d'un coup, je prends quelque chose de bien beau. Comme un reste de petite fille étonnée. Comme au fond des trous d'un masque de mi-carême...

Elle veut lui toucher les yeux avec sa main gantée.

ISALAIDE, *la repousse* — Ne me touche pas avec ce gant de plastique, quasi gynécologique. Pouah! Et pourquoi, dans le monde, portes-tu ce maillot de bain bien sexy?...

INES PÉRÉE — Ce n'est pas de ma faute. C'est l'idée qu'en tombant ici j'avais déjà de la femme. D'un côté qui fait la belle et de l'autre, la vaisselle.

ISALAIDE — Il faudrait que tu te déshabilles et que tu te rhabilles bien vite en groupes, en masses, et même en zazous, en hippies. L'apparence compte ici. Ce n'est jamais les groupes, les masses, les cultures qui se ramassent dans les asiles d'aliénés, c'est les dépareillés, les dans-la-lune, les ceux qui sont trop bêtes pour comprendre qu'il faut suivre. Regarde-moi, je porte un uniforme. Et ce stéthoscope ne me sert jamais, juste pour faire plus entière, être plus sécure.

INES PÉRÉE, *examinant le stéthoscope, éclatant de rire* — Tu vois: tu me fais rire. C'est la première fois. Tu vois: tu peux me rendre joyeuse: garde-moi. *(Sort une chaînette d'autour du cou d'Isalaide.)* Et ça? C'est pour quoi faire?

ISALAIDE — C'est juste une chaînette rouillée que j'ai déterrée en bêchant et que j'ai gardée en souvenir d'un souvenir du temps de mon premier amant. Et je n'en ai eu que deux. Trois en comptant mon mari. Aimes-tu les bijoux? J'en ai beaucoup, je peux t'en donner.

INES PÉRÉE — Ce n'est pas les bijoux, c'est toi que j'aime. Raconte!

ISALAIDE — C'est trop vieux et trop long à dire.

INES PÉRÉE — Raconte! Allez! Ça marie, ça unit, ça rend ami. Ne te fais pas prier... je t'en prie...

ISALAIDE — Tu te trompes: tu joues très bien du violon. Surtout de la corde de la sollicitude.

INES PÉRÉE, *serre la chaînette comme pour étrangler* — Raconte! Je veux absolument voir ton plus beau, et le plus beau c'est toujours le plus caché. Raconte !

ISALAIDE — Très bien, Ça va. Je cède. *(Ines relâche sa prise sur la chaînette.)* Mais je t'avertis : c'est très sensuel. Et si tu fais encore des farces plates là-dessus, tu attrapes une bonne gifle ! Eh bien voici. *(Elle s'éclaircit la voix.)* La première fois qu'André Saint-Martin m'a touchée, en 1950 quelque, j'ai été consentante, j'ai voulu. *(Ines tourne la tête pour rire son petit coup de trop)* Il m'a fait passer par le soupirail. La cave n'était pas haute. Accroupis, on se cognait la tête aux solives et à la plomberie. Alors on s'est couchés, sur le dos. Et les baisers que j'avais tant désirés, les premiers, il me les a donnés. Mais ils ne goûtaient rien; ni l'orange, ni la réglisse, ni la fraise: rien. J'avais les yeux sous un vieux tuyau. Je le regardais fixement. Et comme j'attendais, froide et désenchantée... *(Ines tourne encore la tête pour glousser)* que mon beau André Saint-Martin finisse par se lasser lui aussi de ces caresses sans saveur, elles se sont mises à goûter la rouille, la rouille même du tuyau que j'avais saisi plus tôt et dont j'avais senti les écailles et l'odeur dans ma main. Quand j'ai déterré cette chaîne, ce goût m'a reprise à la gorge et je me suis mise à pleurer, doucement, doucement. C'est pourquoi je l'ai gardée et que je la porte encore à mon cou (...) C'est tout. (...) Alors ?

INES PÉRÉE — Alors c'est tout ? Et le *si-sensuel,* qui me faisait tenir en haleine ? Est-ce la moutarde après dîner ?

ISALAIDE, *lui donne une gifle* — C'est la tape sur le nez!

INES PÉRÉE, *pas trop fâchée* — C'est cochon mais c'est trop manuel. Mais assez plaisanté chérie. Et raconte-moi une autre belle histoire. Prends ma main en otage. *(Elle lui donne la main.)* Si je me moque encore de toi, tu la couperas et tu la garderas.

ISALAIDE — Je continue. Pour voir jusqu'où tu peux abuser des bons sentiments que tu revendiques à cor et à cri.

« Leur pas est si correct, sans tarder ni courir
« Qu'on croit voir des ciseaux se fermer et s'ou-
[vrir. »

Ce sont des vers sur la marche militaire. La nuit que je les ai lus, c'était la veille d'un examen et j'étais fourbue. Tu sais comme on peut être hilare dans ces cas-là. Eh bien ces alexandrins m'ont assez fait tordre de rire que j'ai roulé en bas du lit et que je me suis brisé un poignet. Maintenant, quand je me les rappelle, c'est le contraire: je pars à pleurer. *(Elle part à pleurer.)* Comprends-tu la nostalgie?

INES PÉRÉE, *enlace Isalaide* — Ne pleure pas. Qu'est-ce que ça donne? Quelques autres petites veines rouges dans des yeux où elles s'entrelacent déjà par centaines? Ça ne vaut pas la peine.

ISALAIDE, *bien insultée* — Ines, je te signale, une dernière fois, que ton ironie passe les bornes.

INES PÉRÉE — Où est rendue la démence, si les déments ne peuvent plus passer les bornes?

Tiens: tu as dit ***Ines.*** M'as-tu appelée, vraiment? M'as-tu demandée vraiment?

ISALAIDE — Oui, mon chou, oui.

INES PÉRÉE, *en furie* — ***Garbage!*** Tu mens! Comme une grosse vache! Plein ta gueule! Et tes naseaux! Si tu disais vrai, ce n'est pas moi qui te dirais de me garder, c'est toi qui me forcerais à rester! Depuis quand laisse-t-on partir ceux qu'on appelle par leur petit nom, et puis ***mon chou*** tout de suite après?

ISALAIDE, *sérieuse* — Écoute! Ines! Je ne vous garde pas premièrement parce que ça n'a pas de bon sens et deuxièmement parce que vous êtes trop mutilés pour comprendre que ça n'a pas de bon sens.

INES PÉRÉE — ***Garbage!***

ISALAIDE — Que feriez-vous ici? À quoi passeriez-vous vos journées? À monter et à descendre l'escalier? À vous ronger les ongles? À faire des grimaces à Pauline-Émilienne? À vous abîmer dans l'oisiveté et l'ennui? Mais je réponds là sagement à des questions de farceurs!

INES PÉRÉE — Et ta fille, Aidez-Moi, à quoi les passe-t-elle, elle, ses fameuses journées?

ISALAIDE — Elle a un métier. Elle travaille. D'ailleurs, elle est partie d'ici, elle ne se sentait plus assez chez elle...

INES PÉRÉE — Mais ***avant*** qu'elle ait un métier? ***Avant*** qu'elle travaille? ***Avant*** tout ça?

ISALAIDE — C'était une enfant.

INES PÉRÉE — Moi aussi je suis une enfant. Alors?

ISALAIDE — Aidez-Moi était ***mon*** enfant.

INES PÉRÉE — C'est ton dernier mot ! Cet adjectif possessif par lequel tu refuses sagement de nous désigner. Eh bien concluons que tu ne sais plus par quel bout du vocabulaire te dérober à tes obligations et ôte-toi de ma vue. Va ! Va dire à Escalope de dire à son ambulance qu'elle se grouille ! Va !

ISALAIDE — Un jour tu seras jugée toi aussi. Et je te souhaite, comme ici pour moi, un juge plus petit que toi.

Exit, croisant Pauline-Émilienne, qui passe.

INES PÉRÉE — Si c'était elle ! On ne le lui a pas demandé après tout. *(Se lève, rejoint l'infirmière, frappe sur son dos comme à une porte.)* Knock Knock Knock : ouvrez ! À moi, comtesse, deux mots !

Exit, toutes deux. Escalope entre de l'autre côté.

ESCALOPE, *s'emparant du petit cercueil qu'il a caché* — Voler ! Partir sur une seule aile ! Se voiler la face avec l'autre ! Fi des voyages organisés et de tous leurs passages, tous onéreux. Je préfère les avions boiteux et les prendre gratis quand je peux, comme un cadeau. Violer ! Douce ***volupeté*** aussi ! Fi des passagères au long cours nourries-blanchies.

Exit, avec le petit cercueil, se voilant la face comme avec une cape. Isalaide rentrant de l'autre côté.

ISALAIDE — Pauline-Émilienne!

PAULINE-ÉMILIENNE, *dans l'intercom* — Il s'est écrié ***fi des passagères au long cours nourries-blanchies*** et il s'est envolé avec le onzième cercueil. Il en a pour une seconde. *(Lâche un grand cri, reprend son calme.)* C'est l'énergumène en maillot de bain qui m'a pincée avec son gant de vaisselle dans le peu de mou que j'ai entre le bas de côtes et l'os de la hanche. Je passerai tout à l'heure. ***Over.***

ESCALOPE, *entre, essoufflé* — Sont-ils prêts? Combien sont-ils en tout?

Sort un calepin, un stylo.

ISALAIDE — Deux seulement. C'est pour vous allécher que je vous ai affirmé au téléphone qu'ils étaient l'avant-garde d'une grosse bande. Vous me connaissez: j'adore mettre l'eau à la bouche.

ESCALOPE, *écrit dans son calepin* — Deux. État civil et curriculum vitæ...

ISALAIDE — Ni l'un ni l'autre n'en ont. Seulement deux... mais quels spécimens!

ESCALOPE, *écrivant* — J'appellerai cet endormi État Civil et l'autre la petite, la fée des trente-six chandelles, je l'appellerai Curriculum Vitæ, ça va faire pareil, le ministère des bravos publics n'y verra que des étincelles.

ISALAIDE — Je vous sais gré d'en prendre soin. Je vous revaudrai ça.

ESCALOPE, *serre son calepin, son stylo* — Surtout pas. (...) Comme ils sont peu nombreux, je n'attendrai pas le fourgon. Je les prendrai dans ma Worstwagen. Ils seront aux oiseaux! Les portes et tous les tiroirs des commodes et de toutes les armoires de mes salles de traitement ne ferment pas; elles restent ouvertes, grandes ouvertes. Seule la grande barrière est cadenassée.

ISALAIDE, *l'eau à la bouche* — Et votre cœur, mon bon docteur, est-il ouvert, grand ouvert?

ESCALOPE — Vous me téléphonez cinq fois par jour. Je ne viens plus que cinq fois par mois et ça va encore baisser. Car plus ça va plus vous manipulez. Je ne peux jamais sortir d'ici sans le cœur en lambeaux davantage tripatouillés. Mais ce n'était pas à vous que je pensais du tout. C'était à la petite Vitæ. Je ne briserai pas son caractère. Je vais le repolariser, courber ses tensions dans le sens de mon champ magnétique.

ISALAIDE — Ne brutalisez pas Ines; son cas est si particulier. Tout à l'heure, en évoquant des souvenirs de sous-sol humide, elle a fondu en larmes.

ESCALOPE — C'est le tunnel de l'utérus.

ISALAIDE, *encouragée* — Vous voyez! Elle parlait aussi d'un tuyau, d'un gros tuyau... rouillé.

ESCALOPE — Rouillé, je ne dis pas. Mais gros... combien gros? Pas trop gros, j'espère.

ISALAIDE — Elle répétait à tout propos: leur pas est si correct sans tarder ni courir qu'on croit voir des ciseaux se fermer et s'ouvrir.

ESCALOPE — Des vers!... Encore!... Ça se gâte, là. Ça se gâte!

ISALAIDE — N'osez pas les lui reprocher. Ils ne sont pas d'elle mais d'Hugo.

ESCALOPE — D'Hugo ou d'elle, ils sont dans sa tête et ils se multiplient, ils court-circuitent ses neurones, ils morpionnent ma science d'exercer de l'influence. Surtout que c'est un distique à tendance humoristique.

ISALAIDE, *éclate de rire* — Drôle ! Ah ! *(Puis se blottit dans les bras d'Escalope et passe aux larmes.)* Mario !... Mario !...

ESCALOPE, *se dégage* — Nom d'une pipe ! J'allais oublier, avant de me remettre en route ! Où sont situés vos w.-c. ?

ISALAIDE, *pleure de plus belle* — Par là, sans-cœur !... Tournez à gauche au fond du corridor... *(Escalope est sorti, vite.)* et continuez... Continuez jusqu'au bord de la terre... Et tombez, sans-cœur !

Ines entre par le même côté qu'Escalope est sorti.

INES PÉRÉE, *affairée, prend son violon et son archet* — Tu pleures encore ? Écoute, chérie, je n'ai pas le temps de t'écouter. J'ai rencontré Escalope dans le corridor, il nous prend dans sa voiture et ça s'appelle pressé. Je l'ai vu rapide quand je l'ai poursuivi avec la hache. Là, c'est pire ! Conclusion : les larmes font fuir plus vite que les instruments fendants. Parlant d'instruments, je vais déposer ma petite idée et je reviens. Ne bouge pas ; tu m'aideras à embarquer Inat.

ISALAIDE, *en même temps qu'Ines sort* — Je vais t'en faire! Je ne veux plus rien avoir à faire, même avec sa Worstwagen! *(Pauline-Émilienne passe; toujours aussi provocante.)* Tu vas t'arrêter pour une fois et aider Ines à porter Inat.

PAULINE-ÉMILIENNE — Bien.

ISALAIDE — Je ne veux plus rien avoir à faire, même avec les clients de ce... eee...

PAULINE-ÉMILIENNE, *comme Ines rentre avec une civière* — Maquereau. Charlatan.

ISALAIDE, *comme les deux autres mettent Inat sur la civière* — Mets-en. Mets-en.

Pauline-Émilienne hausse les épaules.
La civière est prête.
Un silence où on comprend qu'Ines a de la peine.

INES PÉRÉE, *à Inat, en soulevant la civière, en essuyant une larme* — Viens, pauvre enfant... *(À Isalaide:)* Et toi, grosse vache, n'oublie pas dans tes prières que tu ne nous as pas donné l'hospitalité!

Exit, vite.

ISALAIDE, *seule, fourbue, déçue* — On s'en reparlera... mon enfant... Si tu tiens à ce qu'on se reparle... Mais tu as tout dit. Et tout le monde est parti... *(Elle se met à marcher de long en large.)* Ah ils ont la partie belle. Vouloir... demander... exiger... quel confort! Mais quel aria que d'avoir à dire non, devoir refuser un effort avec des noms glorieux comme ***accueil,*** comme amitié. Quel embarras! Ils vous regardent avec les yeux pleins d'eau, et ils vous supplient: «Nous vous aimons, gardez-nous!» Ah ils n'y vont pas de main morte!... Je frappe à ta porte et je te demande cela même dont tes mains sont si douloureusement pleines... Oui! Il y a là un genre d'astuce qui me plaît assez... *(Jouant pour sa part le rôle qu'Ines lui a joué.)* Monsieur, beau grand Monsieur, c'est atroce: J'ai besoin d'hospitalité. En avez-vous? J'ai besoin d'être bien et vous avez le sourire qu'il faut. M'en priverez-vous? Et puis avec la pratique, on acquiert le juste ton, la parfaite manière. Ils sont loin d'être bêtes, ces déroutés, ces vagabonds... Ah, j'avoue, leurs petites idées me tournent la tête... Les fusées, les météores qui s'élanceraient de moi si j'osais, si j'ouvrais, si je laissais tout... aller. Folie douce ou solitude amère: choisis! des enfants sont venus et ont sonné l'heure de la terreur.

PAULINE-ÉMILIENNE, *dans l'intercom* — Allô?... Allô?...

ISALAIDE, *n'a pas entendu* — La fête à tout prix! L'aventure jusqu'à mon point de rupture! Les éclairs dans ma tête, je veux! Les éclatements dans mon ventre, j'exige! Donnez-moi plus que tout ou donnez-moi moins que rien!

PAULINE-ÉMILIENNE, *idem* — Allô, Madame... Allô!

ISALAIDE — Ressaisis-toi, Isalaide! Suffit! Mais cet abîme sous mes yeux, juste devant mes pieds? Mais mon vertige? Un pas et je chute! Je tombe pendant des heures, pendant des siècles! Je glisse de haut en bas des airs, comme en traîneau sur une pente de neige tiède.

PAULINE-ÉMILIENNE, *idem, avec les lumières qui se ferment* — Allô?... Allô?... Allô?...

Noir

« DEUXIÈME MAKE »

On est dans la cellule de Sœur Saint-New-York-des-Ronds-d'Eau.

Les murs sont jaunes, tapissés d'images saintes et de crucifix. Les meubles sont noirs: un lit, un prie-Dieu, trois fauteuils confortables. Un coffre-fort à roulettes occupe le centre de la pièce.

Ines Pérée et Inat Tendu sortent d'une trappe. Elle n'a plus son violon. Il n'a plus sa veste-papillon. Le reste de leurs costumes est le même.

Ils sont essoufflés comme s'ils avaient couru cinq milles. Ils s'étendent sur le dos pour reprendre leur souffle.

INAT TENDU, *exalté, pire que saoul* — Que je me sens bien!... Quand je ferme les yeux, je vois des cris d'oiseaux se dessiner en couleur sur ce côté-ci de mes paupières.

INES PÉRÉE, *bien à jeun, inquiète* — Pauvre enfant, je comprends! Après toutes les pilules qu'ils t'ont fait prendre!...

INAT TENDU — Liberté!... Liberté chérie! moi penser assez vite pour voir en même temps tout ce que tu me redonnes! Me revoici, tout d'un coup repeuplé! Les fossés et les ponts, les forêts et les villes se sont remis à me loger! Liberté, mon amour, mon chou, debout! *(Il essaie de se relever, ne réussit pas.)* Debout que je t'embrasse encore, que je finisse de reprendre possession de toi!

INES PÉRÉE, *ils sont assis; elle lui tapote le dos comme s'il avait le hoquet* — Pauvre enfant!... Pauvre toi!...

INAT TENDU, *enlaçant Ines* — Je suis si rassasié d'avoir couru, après toutes ces semaines de carême, si ivre, que le plancher, que le parquet, que le tapis, toi incluse, toi comprise, a le visage de l'emportement. Si l'emportement était une fenêtre, tout aurait neuf carreaux, comme neuf pages à relire, toi incluse, toi comprise. Allonge ton cou, liberté, tends ton visage, que je bénisse ton front plat comme une route, tes paupières poilues comme des porcs-épics, ta bouche de soupirail.

INES PÉRÉE, *s'assoit sur le coffre-fort* — Je suis heureuse que tu sois content. J'avais mon quota de ton air bête, de ta tête de mule de lait caillé.

INAT TENDU — Je t'ai délivrée! Je t'ai scié des barreaux de fer! Et tu boudes!

INES PÉRÉE, *debout sur le coffre-fort* — Quitter des tables si chargées qu'elles plient, ce n'est pas s'évader. S'évader, c'est sortir du besoin, des mauvaises haleines et des ongles en deuil. Ô luxure! Ô luxe! Rappelle-toi Isalaide! C'est de ta faute si nous avons manqué son bateau. Si tu l'avais cuisinée comme moi, si tu lui avais crié ***tu dois*** au lieu de lui murmurer ***voulez-vous***, si tu l'avais mise sur le gril au lieu de la mettre à l'aise sur son degré de l'échelle sociale, elle se serait laissé croquer comme une cacouette ! Il faut les séduire, les contraindre, leur faire honte de dire non. Le paradis est défendu par des anges ; n'importe quel violent peut le leur ravir.

INAT TENDU — J'aime mieux une couronne qu'une bouchée de pain. Et la couronne tombe quand on se penche pour ramasser une bouchée de pain.

INES PÉRÉE, *choquée* — Je ne te parle pas de miettes, je te parle de boulangeries entières, ***complete, with ze*** boulanger ***and ze*** boulangère.

INAT TENDU, *chicanier* — Tu n'es plus parlable depuis que l'asile de Harvey-Jonction t'a volé ton archet et ton violon.

INES PÉRÉE, *chicanière* — Je les ai gardés dans ma tête ! Mais pas toi, ton papillon ! *(Tout à coup, comme tombant de très haut, de la musique grégorienne, les voix d'un chœur féminin.)* Chut... Écoute ! Chut !... Entends-tu ? C'est elle, c'est la musique. Elle tombe de là. Peut-être d'aussi bas que de l'étage supérieur. Je me sens si près, si proche ! J'ai des frissons partout ! *(Elle lève la tête, tire la langue, déguste.)* Tire la langue, toi aussi, vite, goûte, c'est bon, ça fond, c'est comme des cristaux de première neige. *(Saute en bas du coffre-fort.)* Viens danser ! Viens !

Ils essaient de danser, ils piétinent sans accord; c'est une pitié.

INAT TENDU — Reprends tes sens, ma lapine. Je ne sais pas quelle contenance observer quand tu fais ton numéro de transportée.

INES PÉRÉE — Ah! Ah bien! Ah ma parole! Tu ne t'es pas regardé tantôt avec ta liberté, dans ta montée à l'emporte-pièce! *(Elle l'imite.)* Liberté!... Liberté, ma pilule, ma comprimée! Liberté, ma grande excitée! *(Ils continuent de danser... Sœur Saint-New-York entre en douceur, s'énerve, fouille dans ses grandes poches, trouve et pointe son revolver.)* Liberté grand-nez-pareillement-grandes-dents! *(Redevenue douce.)* On va se laisser comme flotter sur la musique, on ne va pas se décourager... Ça va venir.

La musique cesse

NEW-YORK — Si vous n'êtes pas des escarpes, n'ayez pas peur, sentez-vous les bienvenus. Je ne presse presque pas la gâchette. Si le coup part ce ne sera pas de ma faute. Je suis jeune et mal assurée, même si j'ai passé haut la main les examens du cours théorique et que je me pratique tous les mercredis soirs des mois d'été en même temps que les recrues des forces constabulaires de la municipalité. Je ne presse presque pas la gâchette, juste un peu pour être prête... *(Elle montre comme elle fait.)*... vous voyez. *(Le coup part. Les trois poussent un cri à l'unisson.)*

N'ayez pas peur, mes sœurs n'ont rien compris, elles n'interviendront pas, elles ne demandent pas mieux. D'ailleurs, la première détonation est toujours comptée comme coup de semonce. C'est pour montrer qu'on est terrible même si on a l'air empotée. Après, on passe à la deuxième phase de l'opération dissuasion. *(Ines et Inat s'assoient sur le coffre-fort comme pour assister à un spectacle.)* Je dois discourir jusqu'à ce que vous ne voyiez plus où je veux en venir et que vous vous en alliez. C'est tout calculé. Mais vous avec l'air si surpris, si gentils. Restez! Je vous en prie...

INAT TENDU — Qu'est-ce qui se passe?... Est-ce qu'en s'évadant, on serait rentrés dans l'asile par une autre porte?... Ce ne serait pas la moitié des forces d'Escalope. Connaissez-vous Escalope, ma religieuse? Est-ce son magot?

INES PÉRÉE — Arrête de l'interrompre, tête de pie. Elle est montée pour vingt-quatre heures, sinon une bonne partie de l'après-midi. Connaissez-vous Caillette? Connaissez-vous Charlotte Russe, son alcoolyte? Est-ce leur magot que vous serrez dans votre chambrette comme une colombe entre les cuisses d'un casse-noisette?

NEW YORK — Quelle erreur, mon Dieu! Quelle horreur? Je connais l'air des malotrus, et vous ne l'avez pas. L'air que vous avez, c'est l'air sympathique. Vous ne voleriez pas une mouche, je l'ai vu tout de suite à votre air. Excusez, je suis si confuse, je ne sais plus ce que je dis. *(Ines et Inat assistent au spectacle, avec Ines qui se retourne de temps en temps pour rire en aparté.)* Les mouches s'offrent à tous, sont données à tous. Prendre une mouche, ce n'est pas la voler, c'est l'accepter. Ce n'est pas comme prendre un œuf, puis un bœuf. Excusez encore : l'œuf et le bœuf sont du même règne. Quand on prend un bœuf, on enlève au bœuf sa liberté, on n'enlève rien d'autre à personne, ce n'est donc pas un vol. Je vais prendre un meilleur exemple : les balles de tennis et les balles de ping-pong. Elles ne se font pas toutes seules, elles, par miracle ou par ovulation... non ! Ce sont des gens qui les font et elles leur appartiennent jusqu'à ce que d'autres gens les leur achètent. Mais ce n'est pas juste non plus comme comparaison. Car, traditionnellement, ce n'est pas aux gens qui fabriquent les balles que les balles appartiennent, mais à ceux qui les font travailler : les propriétaires de la fabrique. C'est-à-dire la bâtisse. Qui a été bâtie avec des cailloux et du bois. Or, les roches appartiennent aux plages et à ceux qui s'étendent au bord de l'eau l'été, à moitié nus, pour prendre à moitié le soleil, cette autre grâce, cette autre générosité. Et le bois appartient aux forêts et les forêts ne sont pas faites pour ceux qui défont les arbres... non ! Elles sont faites pour pousser, pour donner de plus en plus d'ombre, aux amoureux, ils ont si chaud, et pour que les oiseaux qui ont peur puissent rebâtir leur nid plus haut. *(Ines et Inat applaudissent.)* Je suis Sœur Saint-New-York-des-Ronds-d'Eau, je suis la valette de la R.M.B. : révérende mère banquière. Comment allez-vous ?

Rempoche son arme, serre la main d'Ines.

INES PÉRÉE, *pendant que l'infirmière passe assez vite* — C'est elle Charlotte Russe, c'est elle le désert que je vous parlais tout à l'haire.

NEW YORK — Enchantée! Je la connais moi aussi: elle repasse. Nous avons une relation commune, c'est assez, vous êtes mes invités.

INAT TENDU, *New-York lui serrant la main* — Je suis couvert de neige dans l'eau jusqu'aux genoux. Et vous allez trouver que je parle un peu frais, mais... Qu'est-ce que c'est? Qu'est-ce à dire? Quelles pouilles vous nous chantez là?

NEW-YORK, *désarçonnée* — Ah?...

INES PÉRÉE, *comme avec un fouet* — Il veut dire qu'il vous trouve bien de son goût mais qu'il aime mieux contrôler un peu avant de se laisser complètement aller.

INAT TENDU, *confus* — Ines n'était pas si méfiante. Ça l'a prise à l'asile, après le lavage. Ils nous ont mis tout nus puis ils ont tout mis dans le moulin à laver. Nos deux petites idées ne sont pas ressorties, qu'ils nous ont dit. La machine aseptique les a tellement aseptisées, paraît-il, qu'il n'en est plus rien resté.

INES PÉRÉE — Inat veut dire qu'il n'a jamais été pris dans vos bras et que si vous ne commencez pas tout de suite, dépouillé comme il vient d'avoir été, il sera trop tard. Avant, quelqu'un l'attendait, il en avait la preuve dans le dos de sa veste de costume d'employé. Là, il ne lui reste plus qu'un souvenir qui s'effacera, plus vite que vous ne pensez.

NEW-YORK, *prenant Inat dans ses bras* — Quelqu'un vous attendait, dites-vous?

INES PÉRÉE — Quelqu'un qui nous aurait reconnus aussi vite qu'il nous aurait vus. Mais c'est fou, car même la mère ne connaît pas son enfant avant qu'il sorte de son ventre.

INAT TENDU, *querelleur* — Ma religieuse, puis-je vous dire une chose si j'ose? Vous lambinez avec vos gros sabots, vous nous charmez avec vos oh!... vos ah!... Ça nous inquiète et fait précipiter les préliminaires de notre visite. Découvrez vos couleurs. Si vous mordez, montrez vite vos dents qu'on se sauve. Si vous êtes rose, montrez-nous votre nid qu'on s'installe, qu'on se repose!

NEW-YORK, *perdue* — Je vous écoute. Je ne comprends pas tout mais je vous écoute. Et même, je vous suis.

INES PÉRÉE, *va montrer le dedans de ses mains* — Continuez, intéressez-vous à notre cas. Dites-vous: ils ont les mains sales mais ce n'est pas la crasse qui est le tiroir de l'âme, c'est les yeux et les paupières qui les tiennent propres avec leurs petites brosses. Dites-vous: ils sont plus bas que moi... Et penchez-vous!

NEW-YORK — J'irai vous quérir de l'eau pour vous laver. Vous êtes mes invités. J'ai logé un chat déjà; une personne c'est deux fois moins de tracas, et vous êtes deux, ça fait quatre fois mieux.

INES PÉRÉE, *à Inat* — As-tu goûté à ce qu'elle vient de dire. C'est trop sucré pour moi, je pense que je vais m'évanouir.

Elle crie, s'évanouit. New-York crie aussi.

INAT TENDU, *à New-York* — N'ayez pas peur. C'est juste une blague qu'elle pratique. C'est une comique.

NEW-YORK — Ah?...

INAT TENDU, *s'éclaircit la voix, bien gêné : New-York, aussi* — Noticez-vous comme nous nous sentons embarrassés depuis que nous sommes seuls tous les deux. Je suis nerveux. Je suis habitué à ce qu'Ines mène le jeu lorsque nous sommes en société. J'ai horreur de me forcer. J'ai horreur de parler. Et je suis pris tout d'un coup pour me forcer pour parler, vous comprenez ?

NEW-YORK — N'ayez pas peur, je vais vous motiver, je vais vous faire parler malgré vous, comme sans douleur... Pour commencer, laissez-moi vous... eee... disons: tutoyer...

INAT TENDU — À votre aise. Mais ne me demandez pas de fifty-fifty, de kif-kif.

NEW-YORK — Ah?...

INAT TENDU — Vous ne comprenez pas le langage que j'emploie là ; je vous comprends. Je me demande moi-même où j'ai été chercher ça.

NEW-YORK — Tu fais si pitié tout seul sur terre avec ta petite copine... Laisse-moi te...

INAT TENDU — Je vous arrête tout de suite: nous ne sommes pas venus chercher la charité, mais prendre notre part de vous, prendre à côté de vous notre place.

NEW-YORK, *emballée* — Oui ! Oui ! Oui !

INAT TENDU — D'accord nous sommes pauvres, et ça nous donne une sorte de petite taille, mais il ne nous manque rien qui ne nous soit pas dû. Nous sommes nés de la même eau que les autres, nous avons vu le même jour avec dans les os les mêmes minéraux. La terre nous revient autant qu'à eux. Ils ne l'ont pas fabriquée; ils ne l'ont pas gagnée. Elle leur a été donnée, pas en morceaux mais tout entière, pour manger et pour marcher, pour s'asseoir dessus et se coucher dessus comme à Ines et à moi.

NEW-YORK — Oui ! Oui ! Oui !

INAT TENDU, *s'enhardit* — La terre n'est pas plus sortie de leurs mains que des nôtres. Ils sont tombés dessus, par hasard, sans même avoir eu le temps de le vouloir, en le voulant si peu que s'ils avaient voulu tomber à côté ils n'auraient pas pu. Même aux commandes de leurs spoutniks, il ne nous impressionnent pas ; même photographiés, même filmés en maniant les manettes de leurs cerveaux électroniques. S'ils sont les rois de la terre, Ines, leur sœur, et moi, leur frère, sommes des genres d'impératrice et d'impérateur.

NEW-YORK — Oui ! Oui ! Oui !

INAT TENDU, *querelleur* — Je ne parle pas, je gueule. Ça ne donne rien, sinon l'air infirme ou mendiant ! Plus fort on nomme ce qui nous manque, plus on augmente notre abaissement aux yeux de ceux qui nous ont raccourcis !

NEW-YORK, *inquiète* — Je ne peux plus dire oui oui oui ; ton visage s'est trop durci.

INAT TENDU, *inquiet* — N'ayez pas peur. Je ne suis pas amer vraiment. Si vous voyiez ma bonne idée, vous seriez tout de suite rassurée. Mais j'ai tendance à l'oublier depuis que je ne sens plus ses ailes dans mon dos. Elle est disparue à l'asile de Harvey-Jonction. Elle s'est peut-être envolée.

NEW-YORK — Je ne sais pas quoi te répondre. Je ne suis pas assez intelligente; je ne veux pas risquer de parler à côté d'un sujet d'une aussi grande importance. Viens... Viens t'asseoir dans le beau fauteuil.

INAT TENDU, *conduit au beau fauteuil* — N'ayez pas peur; personne ne peut forcer un cerveau à modifier sa taille. N'ayez pas peur; les idiots ont autant de mérite à parler sans intelligence que les jolis et les beaux à vivre sans difformités. Mais qu'est-ce que le mérite? *(New-York se dépose à genoux aux pieds d'Inat assis; ça lui fait mal, elle lâche un petit cri.)* Prenez Ines et moi. Nous sommes traités de paresseux parce que nous ne travaillons pas, ils nous reprochent — c'est d'ailleurs le plus gros reproche qu'ils nous font — d'entrer dans leurs jardins et de mettre nos nez dans des roses que nous n'avons ni bêchées ni arrosées. Dites-moi: qu'a le travail de si méritoire?

NEW-YORK, *déchausse Inat* — Ah?...

INAT TENDU — Ce n'est pas la douleur puisque ce sont précisément ceux qui se décarcassent le plus que j'ai vu mériter le moins. Et que l'ennui pousse au suicide ne prouve-t-il pas que l'oisiveté est au moins aussi douloureuse que le travail? (...) N'ayez pas peur; moi non plus je ne comprends pas.

NEW-YORK, *se levant, les bottes d'Inat en main* — Je vais les ranger dans le coffre-fort...

INAT TENDU — N'en faites rien. À moitié pourries comme elles sont, la forte odeur de l'argent les rachèverait.

NEW-YORK — Je vais les mettre au pied de ton lit alors. *(Elle le fait.)* Es-tu bien assis?

INAT TENDU — Comme sur la terre, comme sur un trône.

NEW-YORK — Je vais chercher de l'eau et je reviens.

Exit, l'infirmière entre par le côté opposé de la scène.

INAT TENDU, *querelleur pendant qu'elle passe* — J'ai l'honneur de vous connaître. Vous êtes la repasseuse. Vous repassiez chez Caillette. Vous repassiez chez Ara, le perroquet-rat. Pourquoi vous donnez-vous tant de peine pour aller et venir dans nos vies si nous ne valons pas la peine que vous vous arrêtiez? Apprenez que nous sommes tous également menacés par les morpions et que ce n'est pas le long de son propre corps qu'il faut serrer les coudes. *(L'infirmière sort, croisant New-York qui entre avec un plat trop plein d'eau.)* Vous retombez mal, ma religieuse. Je vois encore rouge.

NEW-YORK, *sortant de sa poche un crayon, du papier, puis une cigarette* — Justement, je t'ai apporté un crayon et du papier pour dessiner ta bonne idée. Ainsi, tu ne pourras plus l'oublier.

INAT TENDU, *toujours fâché* — Je ne sais pas dessiner.

NEW-YORK — J'ai trouvé une cigarette. Fume, fume. Comme une locomotive. Comme un paquebot.

INAT TENDU, *repousse la cigarette comme il avait repoussé crayon et papier* — Je ne connais pas le tabac.

NEW-YORK, *s'agenouillant péniblement* — As-tu remarqué? Je me suis déchaussée moi aussi. Vous ne pourrez plus vous vanter d'être deux va-nu-pieds; nous serons trois.

Ça lui fait mal, elle crie.

INAT TENDU, *se laissant laver les pieds, sommairement* — Vous avez mal?

NEW-YORK — Oui; aux genoux. Je n'ai pas grand-chose mais je suis très sensible. *(Finit de laver les pieds d'Inat, puis lève sa robe et son jupon pour lui montrer ses blessures.)* Regarde! N'aie pas peur, ce n'est pas laid. Je me suis éraflée en nageant. La piscine était en pente surprenante. D'un côté, on ne voyait pas le fond et de l'autre, il n'y avait pas un pied d'eau. Je m'ébattais sans faire attention. Tout à coup, crish, crash, croush, je racle le ciment.

INAT TENDU — Faites attention, ça peut repartir à saigner.

NEW-YORK, *se ragenouille sans misère, heureuse de son succès de sollicitude* — Ce n'est rien, je te dis. Ce n'est rien. Donne tes mains maintenant. *(Il les donne, elle les lave.)* Tu as des mains douces d'homme qui n'a jamais rien fait, sinon aimer et caresser ce qu'il aime.

INAT TENDU, *querelleur* — À quoi voudriez-vous voulu que je travaille? À faire des balles dans une manufacture de tennis et de ping-pong? Personne ne me mettra dans la tête que c'est gagner sa vie que de la donner à un propriétaire d'usine. La vie est gratuite. Je ne l'ai pas payée et je ne la paierai pas.

NEW-YORK, *se portant près d'Ines pour la déchausser et la laver* — Bon! Te revoilà rembrayé, reparti. *(L'infirmière repasse. New-York éclate de rire.)* Elle me fait assez rire, cette infirmière-là. Quelle efféminée!

INES PÉRÉE, *se dressant tout à coup, repoussant New-York* — Efféminée vous-même. Quelle petite femme vous faites, avec vos petites ablutions!... Quelle catin! Et par-dessus le marché, sous quelque prétexte de bobo, vous montrez vos genoux à mon pauvre enfant comme si vous étiez venue à son bureau passer une audition. Nanan! Candy! Lolita! Cadeau! Vous devriez avoir rrrronte!

NEW-YORK — Ah?... Mais le Christ montrait bien ses cuisses sur la croix.

INES PÉRÉE — Il ne s'était pas humilié lui-même: il se l'était fait faire. Nuance.

NEW-YORK — Tu me reproches de me découvrir et tu n'as presque rien sur le dos.

INES PÉRÉE, *tapotant le flanc du coffre-fort* — Je suis une indigente, moi, ce n'est pas pareil. Je ne suis pas comme Brigitte Bardot, je suis comme ton Christ. Mon dénuement n'est pas un caprice mais une passion.

NEW-YORK, *désignant ses vêtements* — Sous tout ceci, je suis en maillot, moi aussi. Au fond, je suis une baigneuse. Veux-tu voir ?

INES PÉRÉE, *l'empêche* — Non ! Je vous en prie ! Je vous crois sur parole ! Je fais confiance à tout le monde ! Disons même, pour remettre encore le Christ sur le tapis, comme il sied ici, que je n'ai jamais rien compris à l'attitude de saint Thomas dont j'ai entendu dire qu'il avait toujours les doigts fourrés partout. J'ai compris que la prudence est la mère de tous les vices et je ne doute jamais.

NEW-YORK — Ah ?... Mais pourquoi cherches-tu la chicane ? As-tu perdu ta bonne idée, toi aussi ?

INES PÉRÉE, *désignant Inat* — Il vous a tout dit, je gagerais. Tous nos secrets ! Pie ! Porte-panier ! Tu l'as, la dieuse qui t'attendait. Reste ! Reste avec elle ! Moi, je m'en vais. Je retourne à la recherche du bordel où j'aurai le choix.

NEW-YORK, *se prenant la tête* — Distraite que je suis ! Depuis une heure que vous vous vantez que vous êtes pauvres et je n'ai pas pensé une seconde que vous deviez avoir faim. Je cours au réfectoire. Je reviens avec le rôti, deux bouteilles de vin et quatre-cinq poulets frits.

INES PÉRÉE, *l'empêche encore, brutalement* — Pas question ! Demandez à Inat. Ça fait cinq-six mois qu'on se bourre, qu'on se saoule, on est écœurés, dégoûtés, dégoûtants, gras. Demandez à Inat. Vous l'avez piqué avec l'aiguille de votre graphophone. Il ne demande pas mieux que de partager avec vous ses opinions. Et moi je connais le tabac. Ramassez-moi cette cigarette et allumez-la-moi, que je vous fume comme un jambon.

INAT TENDU, *pendant que New-York obéit, chagrine* — Quelqu'un nous tend enfin les bras pour nous prendre, et tu les frappes. Comment peux-tu être si traître? Et flancher au moment où nous touchons ce que nous avons toujours cherché?

INES PÉRÉE — Je te demande bien pardon! Je ne lui fais rien moi. C'est toi qui touches, toi seul. *(Prend la cigarette allumée, fume, tousse.)* Je ne touche pas à ces sortes-de-peaux-là. J'aime mieux garder mes mains pour moi et fumer!

INAT TENDU — Tu appelles une sorte de peau, cette toute-dévouée! Tu appelles cette sainte, cet ange, une hétaïre! *(Choqué.)* Mais... mais... mais tu délires!

INES PÉRÉE — 99.9% pure, elle flotte! Dans les airs! Elle rase le plafond! Juste au-dessus de tes yeux! Pour te montrer ses petites culottes! On n'apprend pas à un vieux singe à faire des grimaces! Et ces lions sont si loin qu'on ne sait pas si c'en sont! Non, il n'est rien que Nanine n'honore!

INAT TENDU, *à bout scandalisé scandalisé* — Arrête! Vite!

INES PÉRÉE — De toute façon, cette femme est idiote, sotte, stupide à pierre fendre! Ne proteste pas, tu le lui as dit toi-même avec des ménagements. Je t'ai entendu pendant que j'étais étendue et que je mettais au point ma farce pour que le monde rie à ta fameuse fête! Comment veux-tu qu'une femme, qu'une fille telle que elle, qui ne s'aperçoit pas que c'est sous ses pieds que la terre roule, nous accueille bien sur la terre? Je te fais l'honneur de croire — je te le fais encore mais je ne sais plus pour combien de temps — que l'amour que tu cherches n'est pas du genre le-bonheur-est-entré-dans-mon-cœur-une-nuit-par-un-beau-clair-de-lune!

INAT TENDU, *va pour gifler Ines; New-York s'est mise entre les deux et empêche la catastrophe* — Ines, tu me niaises! Je t'avertis: fais bien attention: dans l'état où tu l'a mis, mon estomac ne le prendra pas une autre fois.

NEW-YORK — Arrêtez, arrêtez, arrêtez, vous me faites peur.

INES PÉRÉE, *fume, tousse, crie, furieuse* — Vous là, vous, fermez-vous. Et si vous n'êtes pas contente, reprenez votre revolver et tirez; reprenez cette cigarette, finissez-la et éteignez-la...

Lance la cigarette sur New-York qui l'écrase ensuite avec son talon nu et qui se brûle.

NEW-YORK — Ah!

INAT TENDU, *plus fort* — Ah!

INES PÉRÉE, *hystérique* — Ahhhhhhhh!...

L'infirmière entre.

INES PÉRÉE — Chouette! La douche droide en personne! Le bloc de glace ambulant! Chouette!

Chouette! *(Puis parodiant l'amour dellycieux:)* Cruelle, va! Comment peux-tu repousser tous ces hommages? Sais-tu que j'ai découpé dans l'asphalte l'empreinte de tes pas et que je la fais flotter en berne au mât de mon cœur? *(Tombe à genoux, étreint les jambes de l'infirmière pour la retenir.)* Ne-me-quitte-pas-je-t'inventerai-des-mots-insensés-que-tu-comprendras! Ne me quitte pas, beauté! J'ai pu te flatter une couple de fois en cours de route dans le mauvais sens du poil: je ne suis pas parfaite! Donne-moi une chance que je me rachète!

L'infirmière se dégage, veut se sauver. Ines rebondit, lui barre le chemin. Elles se poursuivent.

NEW-YORK, *à part avec Inat* — Du coke et des chips?... Ce n'est pas bon pour la santé!...

INAT TENDU — Taisez-vous! Vous ne connaissez rien là-dedans! Vous n'étiez pas pure et vous n'avez pas été violée à l'hôpital pendant votre sommeil pendant que vous étiez malade par votre propre docteur!

NEW-YORK, *du caractère tout à coup* — Qu'est-ce qui te fait croire ça? Qu'est-ce que tu en sais?

Exit, Ines a rattrapé l'infirmière.

INES PÉRÉE — Quand tu auras fini de papoter, tu viendras m'aider. J'ai une idée qui a du sacré bon sens. On va prendre une lisière de drap et on va lier les jambes à cette Charlotte Russe. Tu comprends ? C'est elle qui va être arrêtée et c'est nous qui allons passer. *(Elle confie à Inat l'infirmière qu'elle a maintenue en lui tordant un bras.)* Tiens ! Tiens-la, je m'occupe de tout.

INAT TENDU, *pendant qu'Ines déchire vite un drap du lit de New-York, et vient attacher les chevilles de l'infirmière* — Ne fais pas ça ! Tu te trompes ! Elle ne demande pas mieux ! Tu ne te vengeras pas d'elle ; tu feras juste son affaire ! Ça fait des années qu'elle marche, qu'elle court après ça !...

INES PÉRÉE — Qu'est-ce qu'Escalope n'a pas pu t'apprendre malgré toutes tes ambitions de ne rien vouloir savoir ! *(New-York rentre avec une bouteille de coke et un sac de chips.)* Vous tombez bien, ma dieuse ! *(Prend coke et chips brutalement.)* Pendant que je vais me défrustrer sur mes chips et mon coke, je vais vous donner des ordres et vous allez aider Inat à terminer le travail. *(Elle a déjà commencé à boire et à manger goulûment.)* Mais il faudrait attacher cette poule à un poteau pour qu'elle nous regarde passer d'assez haut, d'assez dressée sur ses ergots... Et il n'y a pas de poteau !

On sent qu'Ines a perdu la boule à l'asile ; elle mange, boit goulûment.

INAT TENDU, *doucement* — Ines... Ines... Cette infirmière est une femme comme une autre... et même comme toi. Si elle te fait un pli, comme on dit, une différence, ce n'est pas de sa faute, c'est dans la façon que tu la regardes, que tu la perçois.

INES PÉRÉE — Quelles notions encore ! Quelles connaissances ! Où les as-tu prises ? Moi, je ne les ai pas et je t'ai suivi pas à pas !

NEW-YORK, *tremblante et suppliante* — Ines... Ines...

INES PÉRÉE, *à Inat* — Tu lui as tout dit : même comment je m'appelle ! Je ne veux plus rien savoir, de toi ou d'elle. (...) Taisez-vous que je parle à Charlotte Russe, à Huguette-Émilienne ! *(À l'infirmière, restée debout et immobile :)* Regarde comment je mange et prends-en de la graine. Admire mon appétit vicieux et boutonneux, et crains-le ! J'ai un goût féroce de cochonneries et tout à l'heure, quand les chips n'auront pas suffi, ce goût pourrait se jeter sur toi. Je ne veux ni mourir ni changer. Je me nourris ! Pour continuer, bien stimulée, pleine de méchante énergie, de savoir qui je suis, qui j'écœure quand je bave. De me rappeler qui m'a fait, ce qu'il m'a fait, et rendre ce que j'ai à qui je le dois ! *(New-York se réfugie dans les bras d'Inat.)* Tiens-toi bien, je me monte, je me serre, je me tends ! Surveille-toi ! Si c'était un voyage comme un autre, parmi une longue liste... je ne m'en voudrais pas. Mais c'est mon seul voyage et je le rate (...) J'avais une bonne idée, et je ne l'ai plus tout d'un coup. Ce n'est peut-être de ta faute mais ce n'est pas de la mienne non plus. Oui, c'est comme je te dis : guette-toi bien pendant que je te guette, Huguette-Émilienne !

Elle froisse son sac de chips, le jette; finit sa bouteille, la jette.

INAT TENDU, *avec New-York encore dans ses bras* — Finis vite ton petit numéro qu'on s'en aille. Tu as tout bien gâté, tu peux être rassurée, on ne pourra pas rester ici.

INES PÉRÉE, *commence à passer et à repasser devant l'infirmière en se dandinant, le nez en l'air* — Guettez-vous bien, vous deux aussi, Moréo et Lugiette! Mon goût pour les poules s'étend à tous les oiseaux, à commencer par les tourtereaux.

NEW-YORK, *à Inat* — Je cours chercher d'autres cokes et d'autres chips!

Exit, vite, Ines feignant de la poursuivre.

INAT TENDU, *à Ines* — Tu abuses, Ines... Pérée... Si tu cherches qu'on se querelle pour la première fois, si tu tiens absolument qu'on s'engueule, qu'on tombe dans cette boue dont il restera toujours des taches sur notre amitié... je suis d'accord, je suis prêt. Mais je t'avertis: je suis plus fort et plus intelligent: tu n'auras pas le meilleur.

INES PÉRÉE, *idem* — Je blague, voyons, tu le sais bien. Veux-tu qu'on se fâche à cause d'une farce? Veux-tu? Veux donc! Fais donc ça! *(New-York entre d'un côté avec ses provisions et le couple Aidez-Moi — Pierre-Pierre Pierre de l'autre avec un petit chariot du genre diable. Ines, poussant New-York.)* Du coke et des chips!

Encore! Quand il y a de si belles infirmières! Pouah!

PIERRE-PIERRE, *qui s'est vite emparé du revolver de New-York, déçue, indifférente* — J'abonde dans votre sens, chère Madame, et je me présente : Pierre-Pierre Pierre, gentleman-cambrioleur. Ma queue-de-pie ou de-morue n'est pas mouillée parce que Aidez-Moi m'a arrosé mais parce que je suis un baigneur tout habillé. Nous sommes venus pour tout prendre : l'argent bien entendu, le coffre-fort par-dessus le marché. Ceux qui veulent opposer une résistance, levez la main qu'Aidez-Moi vous bâillonne et vous lie pour vous donner une bonne excuse de ne pas succomber à ces velléités aléatoires.

INES PÉRÉE — J'abonde moi-même dans votre sens. Et ça se présente si bien, cher Monsieur, que je voudrais, comme une sorte de complément de mutuelle complaisance qu'on poursuive un peu l'expérience. Que nous passions aux actes, que nous entrions dans le vif du sujet, que nous mettions à table et que nous déjeunions, dînions, soupions ensemble Brigitte-Émilienne.

PIERRE-PIERRE, *pendant qu'Aidez-Moi s'affaire à charger le coffre-fort sur le diable* — Je suis une fine fourchette. Les invitations impératives m'ébrèchent.

INES PÉRÉE — ***Big*** excuse! Comment pouvez-vous résister à votre envie de tant de beauté plastique, à ces formes courbes qui sont si pleines qu'elles débordent à travers vous jusque dans le mystère; à cette peau lisse, à ces silences matériels dont l'harmonie est si grande que c'est eux que les hommes entendent quand ils voient chavirer les étoiles comme sur un parquet de danse? Allez, possédez cet objet. Fermez vos yeux et laissez vos bras s'arracher de vos épaules comme des fusées, se détendre comme des panthères et fondre sur cette objette.

PIERRE-PIERRE, *à New-York, un peu ennuyé* — Et vous, la patronne?

NEW-YORK — Moi, je m'en contrefous. Emportez tout. Mes deux amis, que j'attendais depuis si longtemps, ne veulent pas rester ici. Je devrai les suivre. Et la catastrophe que vous ajoutez à la mort de Maurice-Matte me donnera le courage de partir.

INES PÉRÉE, *à Aidez-Moi, bien occupée, Pierre-Pierre ne daignant pas la seconder* — Comme ça, c'est vous la pompière? Comment allez-vous?

Pierre-Pierre se débarrasse du revolver de New-York.

AIDEZ-MOI — Je m'amuse comme une petite folle, sinon comme un dentiste enfermé avec sa jeune assistante en blouse transparente dans un tube de pâte dentifrice.

INES PÉRÉE, *très fraîche* — Vous ne trouvez pas, vous, que les olives italiennes et les fromages suisses sont bons mais que les Italiens, les Italiennes, les Suissons et les Suissesses sont bien meilleurs? Mais comment va Isalaide, votre mère?

AIDEZ-MOI, *pousse le diable chargé du coffre-fort* — Elle a brisé sa carrière. Elle court le guilledou en maillot de bain comme vous. Elle demande l'hospitalité, paraît-il. Et les mauvaises langues ajoutent qu'elle est bien contente de ne pas l'avoir encore obtenue.

Exit, suivie de Pierre-Pierre.

INAT TENDU, *à Ines* — Qu'est-ce que je t'avais dit ?

INES PÉRÉE — Demande-moi plutôt ce que tu ne m'as pas dit : le choix est moins grand. *(À l'infirmière.)* Et toi tu peux disposer, tu peux t'en aller, tu peux faire de l'air. *(L'infirmière va pour délier ses chevilles.)* Non non, tut tut... C'est un cadeau, gardez-le, Dieu nous le rendra.

L'infirmière sort comme elle peut avec ses liens.

INAT TENDU, *sort New-York de ses bras. Elle va rester plantée là et pleurer* — Je m'excuse mais je dois vous lâcher. Il faut que je me rechausse.

INES PÉRÉE, *prenant New-York par la taille, la menant à un fauteuil* — Ne vous flambez pas la cervelle, j'accours, je m'occupe de vous (...) Venez ! Pressons ! Assoyez-vous un peu là-dessus, que je m'assoie sur vous. Je dois vous essayer. Nous sommes bien prêts à vous prendre comme trône mais pas avant de savoir ce que vous valez. C'est bien normal. *(Elle s'assoit, de face, sur New-York qui pleure.)* Je m'en doutais, je le sentais, j'en était sûre : qu'on est mal à l'aise, qu'on est mal assis ! Avez-vous des épines, comme les roses ? Avez-vous aiguisé vos os ou peu s'en faut ? Et vous ne vous donnez même pas la peine de me prendre par la taille pour m'empêcher de tomber et de me péter la tête à terre ! *(À Inat, qui s'est chaussé.)* Viens t'asseoir sur moi. On va tester ce qu'elle donne comme trône double. Quelque chose comme deux fois pire, je gagerais. *(Inat s'installe tristement.)* Deux fois pire ! Je le savais, j'aurais mis ma main au feu. *(Inat va pour se relever, elle le prend par la taille, blottit sa tête sur son dos.)* Dis-moi qu'on s'en va bientôt, pauvre enfant.

INAT TENDU, *sur le même registre de tendresse* — On s'en va bientôt.

INES PÉRÉE — Dis-moi que tu ne m'en veux pas.

INAT TENDU — Je ne t'en veux pas.

NEW-YORK, ***blottissant sa tête sur le dos d'Ines*** — Dites-moi que vous allez m'emmener ?

INES PÉRÉE, *se retourne sec* — Vous là, grande efféminée, arrêtez ! Cessez-moi ça. *(Les trois tombent à la renverse.)* C'est un départ.

NEW-YORK, *à Ines* — J'aime lui, j'aime toi. On s'aimera tous si vous m'aimez ! Attendez !

INES PÉRÉE, *s'arrêtant avant de sortir* — M'aimez-vous assez pour avoir envie de me montrer vos genoux ?

NEW-YORK — Quels genoux ?

INES PÉRÉE — Comment ***quels genoux*** ? Avez-vous d'autres genoux que ceux qui servent de coudes à vos jambes ? En avez-vous à part ceux qui ont fait rougir de concupiscence un pauvre enfant ? Enfin bref, en avez-vous plus que deux ?

Elle sort avec Inat après avoir fait toutes sortes de parades pour prendre le revolver.

NEW-YORK, *en un tournemain, elle ouvre la penderie, se déshabille et se rhabille en jeune fille à la mode* — Attendez !... Attendez... Je me change et j'arrive... Je suis prête !... *(Sort avec sa valise.)* Ho hé ! Ines ! Hé ho !... *(On entend la musique d'un violon gratté comme par un écolier. New-York rentre.)* Ils se sont sauvé... Ils m'ont fuie !... Ils m'ont séduite et abandonnée...

ISALAIDE, *rentre par l'autre côté, en maillot de bain rose choquant, en bottes, gant de vaisselle, veste, etc... Sa veste est la veste-papillon d'Inat. Son violon et son archet sont ceux d'Ines* — Ils ont acheté la terre, toute la terre. Ils en ont acheté une moitié, puis une autre moitié, le quart plus les trois quarts. Ils se la sont tapée, envoyée. Ils se la sont payée et les autres les ont laissés faire. Cette pierre est à celui-ci. Ces concombres à celui-là. Ce marais à cet autre. À la plupart des autres : un salaire ! Ceux qui ont acheté la terre, lient les pieds et les mains des autres pour ne pas qu'ils touchent à trop de pieds carrés de la terre, ou ils les chassent à coups de lois et de contrats. La terre est fermée comme un salon de barbier le dimanche, interdite comme un concert à guichet fermé. La terre est vaincue, envahie ; et occupée comme par une armée. Il n'y a plus de place: les hommes tombent sur la terre comme des chiens dans un jeu de quilles. Les propriétaires ont tellement de bouches à nourrir qu'ils doivent les empiler, les ranger verticalement. Ils ont déjà tellement de chèques de paie à distribuer qu'ils inventent chaque jour une machine plus rapide pour y suffire. Il n'y a pas une motte de terre, pas une fleur, pas un brin de laine ou de coton, pas une chaise, pas une cuiller qui n'appartiennent déjà à quelqu'un, dont on puisse se servir sans la permission des possesseurs de la terre, sans tant de travail ou tant de monnaie (...) Et voilà!

NEW-YORK — Ah?...

ISALAIDE — Y a-t-il des hommes ici? Allez les voir et demandez-leur si c'est Isalaide qu'ils attendent tout en se rongeant les ongles?

« TROISIÈME MAKE »

L'espace et la formule du décor ne sont pas changés. Le lit est à la même place. C'est une baignoire qui remplace le coffre-fort au centre de la pièce. Les images saintes et les crucifix sont remplacés par des images de films de violence et de sexe, et le prie-Dieu par une table de téléphone où est appuyé le chariot d'Aidez-Moi. Une table et des chaises au lieu des trois fauteuils.

Pierre-Pierre dort, heureux, assis dans la baignoire, bien remplie. Le téléphone sonne, sonne, sonne.

PIERRE-PIERRE, *se lève* — Il arrive!... Il arrive!... *(Au téléphone.)* Est-ce toi, mon anoure? Est-ce toi ma grande excitée? Est-ce toi, grand moment? (...) Ce n'est pas vous? Qui êtes-vous si vous n'êtes pas vous? (...) Vous êtes la secrétaire de la Ligue de Bienfaisance des Pompières de Bonavista... Et non contente de n'être pas vous, ce n'est pas à moi que vous voulez parler, à moi Pierre-Pierre Pierre, fils de Jean-Pierre Pierre! Attendez un peu; je suis curieux. Vous devez être fameusement ligués pour savoir que nous nous étions ramassés ici. Nous fuyions et nous ne savions pas nous-mêmes où nous aboutirions (...) ***I'll be jiggered !***... Que puis-je faire pour vous, malgré tout ? Et donnez-moi deux heures pour que j'aille le faire tout contre vous (...) Comment « trêve de plaisanteries à la Sacha Guitry » ? Comment ? Comment pouvais-je me douter que notre culture de bouts de chiffons et de fonds de pantalons recousus avait percé dans ce cap ? (...) Que dois-je comprendre, Mademoiselle ? Ce que j'ai entendu ? Que vous négociez ? Que vous me faites des contre-propositions ? Ah non ! Ah non ! (...) Aidez-Moi doit vous rappeler bien vite pour s'unir parce que l'union fait la force, dites-vous ?... C'est bien vrai, bien trop vrai. Elle fait la force, bien trop de force. Y a-t-il rien de pire que la force ? Y a-t-il pire ennemi de tous et surtout : de chacun ? Y a-t-il spectacle plus hideux que celui exploité dans les films d'explorateurs attitrés d'un éléphant bondissant sur une biche spring-bok de Pretoria et assouvissant gaiement ses désirs de plusieurs tonnes ? *(Il enlève sa queue-de-pie ou de-morue.)* L'union fait la force et la force fait la pluie et le beau temps. Mais la pluie et le beau temps tirent nos ficelles avec des gants de boxe. *(Pierre-Pierre tord un peu sa queue-de-pie ou de-morue puis la lance aussitôt dans la baignoire.)* Que dites-vous ? Que ce n'est pas nous mais les autres que cette sorte de force soumet, incline, penche ?... Si j'étais un chien, Mademoiselle, et qu'avec neuf autres chiens, sans compter la poméranienne en rut pour nous fâcher, j'étais attaché au traîneau d'un Esquimau, je crierais aux autres: « Désunissez-vous ! » (...) Je n'ai pas fini, ne m'interrompez pas. Surtout avec des histoires de races et de pays. Je suis contre les pays. Il n'y a pas assez de pays. Il devrait y avoir autant de pays qu'il y a d'hommes et de femmes, sinon quatre fois plus: un pour chaque jambe et pour chaque bras. Moi, pour tout vous dire, je ne suis même pas d'accord avec cette idée d'harmonie. Je suis pour que ceux qui chantent faux chantent plus fort que les autres. Et pour que les Esquimaux traînent leurs traîneaux tout seuls. Qu'ils laissent donc les chiens tranquilles ! (...) ***Solidarité*** à présent ! Toute votre affaire est à base de mots, d'émouvoir et de publicité ! ***Solidarité*** ! Pourquoi pas solidité tout court ? Car c'est bien ***solides*** que vous êtes ! Comme le roc de Gibraltar ! Prisonniers les uns des autres comme tous ces galets qui pourraient se faire bercer chacun de son côté par la Méditerranée si on faisait voler en éclats cette idée de géographes et de touristes ! *(Pierre-Pierre raccroche en riant. Dans la penderie, il prend une bouteille de quelque alcool. Il l'ouvre. Pas pour boire mais pour s'arroser. Mais le téléphone sonne aussitôt et il se précipite pour répondre.)* Est-ce toi, mon instant, ma rouge seconde ? Est-ce toi, grand moment ? Ne répondez pas. Je sais. Ce n'est pas vous et vous êtes bien mal prise ; vous ne savez plus sur quel pied danser... Je vais raccrocher pour ne pas vous laisser le temps de réfléchir: courez, arrivez, venez danser sur les miens !

Il raccroche. Ça sonne à la porte. Il va ouvrir.

AIDEZ-MOI, *entre, dans son imperméable de pompière poudré de neige* — Il fait plus froid par ici, mais ce n'est pas moins bon, mon chéri. *(Elle l'embrasse, il l'embrasse.)* Il neige, le sol revêt son manteau d'hermine comme on dit. Mais ce n'est pas le froid qui me gerce, qui me cuit. *(Elle l'embrasse encore.)* C'est toi, c'est toi, c'est toi. Tout tantôt dans la rue, ce n'étaient pas les moteurs qui faisaient rouler les roues des véhicules, c'était la même chose que ce qui fait battre tes belles paupières, hausser tes belles épaules, secouer ta belle tête. Cette grosse neige, molle malgré tout, si prête à se fondre dans la sueur de mon front, c'était toi plein le ciel, toi très blanc et très nombreux.

PIERRE-PIERRE, *repêchant sa queue-de-pie ou de-morue, la remettant* — Qu'as-tu vu ?

AIDEZ-MOI, *ôte le plus gros de son costume* — Ici, ailleurs, je vois toujours la même chose. Des hommes surpris de me voir telle que je suis, qui se retournent, qui rient, qui me crient : « Au secours, j'ai le feu au derrière. »

PIERRE-PIERRE — Tu ne leur réponds pas, c'est une erreur. Réponds-leur.

AIDEZ-MOI — Je ne pourrais pas, je fige, je suis trop gênée. Mais ne t'en fais pas, ne t'en fais pas. Ils ont beau me chercher, ils ne me trouveront pas, je suis perdue en toi. Ils ne peuvent pas m'avoir, c'est toi qui m'as.

PIERRE-PIERRE — Tu as trop marché. Tu es fatiguée. Couche-toi.

AIDEZ-MOI — Couche-moi, toi.

PIERRE-PIERRE, *la prenant dans ses bras, la couchant* — Je te couche, je te dors.

AIDEZ-MOI, *ravie* — Hmmm!

PIERRE-PIERRE, *éteint une lumière, le lit est plongé dans l'obscurité* — Tu es ravie. Je suis content. (...) Veux-tu que je recommence dans cinq minutes? Que je te relève pour te recoucher aussitôt? Que je te réveille pour te dormir encore? Et ainsi de suite?

AIDEZ-MOI — Tu es fou. Tu es complètement fou...

PIERRE-PIERRE, *allant et venant, complètement fou en effet* — C'est l'amour!... L'amour!... L'amour!... L'amour... L'amour!... *(Ça sonne à la porte. Il va ouvrir.)* C'est l'amour, encore, j'espère! *(C'est Isalaide, violonnant, équipée comme à la fin de l'ake précédent.)* Quelle moutarde après dîner!... Qui êtes-vous... ***What are you?***

ISALAIDE, *royale* — ***I am*** le beau cadeau que personne n'a encore pris. ***Young*** homme, je suis la seule chance que je vous donne: saisissez-moi et tenez-moi bien. *(Elle se jette dans ses bras étonnés.)* Je ne passe qu'une fois: si vous me lâchez, vous me perdez! Quel dommage ce serait! Moi si mal bâtie, vous si bien structuré!... Moi si baigneuse, vous si humide, si trempe, si mouillé! Donnez-moi juste un clou, pour accrocher mon violon. Je veux m'en débarrasser pour mieux vous enlacer.

PIERRE-PIERRE — Êtes-vous Caillette? Êtes-vous la grosse qui se colporte?

ISALAIDE, *se raccroche à Pierre-Pierre qui s'est reculé pour mieux la voir* — Avant je demandais l'hospitalité. Maintenant, je l'offre. Mais je peux faire un spécial pour vous: je peux varier mon vocabulaire ou me taire, et me mettre à vos genoux.

Elle se met à ses genoux.

PIERRE-PIERRE — C'est bien vous!

ISALAIDE — Vous m'avez reconnue!

PIERRE-PIERRE — Vous ne me reconnaissez pas, vous? *(Il se tourne une fois et demie sur lui-même, lui présente son derrière.)* Vous ne me trouvez pas un petit air de famille?

ISALAIDE — Je reconnais vos yeux: j'en ai deux moi aussi. J'ai une tête chevelue, moi aussi, et des doigts onglus. Vous êtes presque mon frère.

PIERRE-PIERRE — Et vous presque ma belle-mère. *(Il lui tend la main.)* Je suis Pierre-Pierre Pierre: quand je suis fatigué, je me déshabille et je m'étends à côté de votre fille... Enchanté!

ISALAIDE, *insultée* — Ma fille est vertueuse. Ma fille est toute petite. Ma fille a huit, neuf ou dix ans. *(Elle le gifle.)* Insolent!

PIERRE-PIERRE, *lui rend sa gifle; elle le prend bien* — Votre fille est vicieuse. *(Il l'entraîne vers le lit, rallume la lumière, repousse les couvertures de sur le corps d'Aidez-Moi, soudainement nue.)* Regardez comme elle dort bien. Vous n'allez pas me dire que ce n'est pas de la volupté!

Isalaide crie; Pierre-Pierre recouvre Aidez-Moi.

ISALAIDE — Aidez-Moi !... Debout ou je te désavoue ! Hors d'ici ou je te renie !... Dévergondée ! Chatte en chaleur !

AIDEZ-MOI, *dans son sommeil, très tendrement* — Maman ?... Maman ?... Maman ?... Viens que je te réchauffe, maman... Il fait si froid dehors... Viens, maman, viens plus près, tu vas voir : je brûle et j'embaume, comme si je sortais du four.

ISALAIDE, *pas du tout attendrie* — Grouille-toi ! Lève-toi ! Habille-toi ! Amène-toi !

PIERRE-PIERRE, *décolle Isalaide du lit, qu'elle secouait un peu fort* — Laissez-la tranquille Elle est exténuée. Elle passe ses journées à vous chercher depuis que l'hiver est commencé.

ISALAIDE — ***Oh dear oh my!... And ze...*** ôtez de sur moi vos doigts sales, vos mains encore tachées de sang d'ange !

Elle se débat ; il la retient.

PIERRE-PIERRE — Vous me mélangez avec Jack l'Éventreur. J'ai horreur de ça. Moi c'est les coffres-forts que je viole ; et le sang des verrous et des cadenas est le seul que je fasse gicler. Je ne suis pas une brute, je suis un gentleman-... cambrioleur.

ISALAIDE, *royale* — Eh bien Arsène, dites à votre lupine que l'espionne venue du froid retourne se faire geler, et que c'est de sa faute. Dites-lui que je serais restée ici si elle ne m'avait pas volé ma place. Dites-lui que je me serais glissée dans ce lit si elle ne l'avait pas infecté avec ses spirochètes de petite putain! *(Elle plonge dans la baignoire, en ressort aussitôt.)* Dites-lui bien !

Exit.

PIERRE-PIERRE, *va pour se lancer à sa poursuite* — Madame!... Madame!... Arrêtez! Ne faites pas la cave!...

PAULINE-ÉMILIENNE, *sa voix dans l'intercom* — Monsieur!

PIERRE-PIERRE, *s'arrête net en entendant cette belle voix de femme et lance en direction d'Isalaide un geste en forme de que-le-diable-t'emporte* — Oui?

PAULINE-ÉMILIENNE, *idem* — Puis-je passer? Avant je ne demandais pas la permission. Maintenant je demande la permission. C'est devenu trop risqué de passer sans permission.

PIERRE-PIERRE *un peu déçu* — Ah c'est vous, Pauline-Émilienne... Mais passez, voyons. Passez ! *(Va éteindre la lumière du lit, parle à Aidez-Moi, qui répond normalement.)* Ta mère est venue. Elle te fait dire qu'elle est partie. Quelle chipie !

AIDEZ-MOI — Pourquoi serait-elle restée? Pour se faire traiter de chipie?

PIERRE-PIERRE — Pour me traiter d'ordure, voyons ! Elle aurait adoré ça (*Le téléphone sonne. Il répond. Pendant qu'il parle, l'infirmière passe : en béquilles, une cheville bandée.)*

Est-ce toi, ma robinette? Est-ce toi ma sonnette de larmes? Est-ce vous deux, mes petits lacs d'eau tiède qui se ferment et qui s'ouvrent? (...) Ah ce n'est que toi Ernestine. Quelles bonnes nouvelles? (...) Quelles mauvaises nouvelles, alors? (...) Non! (...) Non! (...) C'est... (...) C'est comme tu dis: c'est... *(il raccroche, tout décousu, tout démoli)* Aidez-Moi!

AIDEZ-MOI *répond aussitôt* — Oui, mon chevreuil. Tes bois tremblent. Qu'est-ce qu'il y a?

PIERRE-PIERRE — Tu sais, Ernestine, ma maîtresse de rechange? Elle vient de m'appeler catastrophée, charges renversées (...) Le président est mort.

AIDEZ-MOI — La politique américaine ne me regarde pas.

PIERRE-PIERRE — Elle te regardera quand tu sauras que Amine Gaga s'était hissé vice-président dernièrement et qu'il vient d'être assermenté d'office.

AIDEZ-MOI, *se lève, catastrophée. Elle est habillée comme Pierre-Pierre l'avait couchée. Elle va sauter sur ce qu'elle avait ôté de son uniforme et le remettre en toute vitesse* — Ce n'est pas vrai! Ce n'est pas vrai! Ce n'est pas vrai!

PIERRE-PIERRE — Tu connais sa natation! Tu connais sa pétulance. Les dix provinces sont déjà annexées. Les crocodiles sont lâchés. Nous allons observer une minute de silence... si tu vois ce que je veux dire.

AIDEZ-MOI, *se sacre à genoux, joint ses mains comme une religieuse* — Tu parles! Tu parles! Tu parles!

Ils se recueillent, ils prient, il y a de quoi. Après une vingtaine de secondes de silence, Inat et Inès entrent en coup de vent. Inès porte un ceinturon de cowboy de film et dégaine le revolver de New-York.

INES PÉRÉE, *tirant un coup en l'air* — Si ce n'est pas ici que le besoin d'une violoniste violette volée et violée se fait sentir... ***and ze*** goût pour un ***flyer*** de cerf-volant emberlificoté dans les cils téléphoniques, haut les mains !

Aidez-Moi et Pierre-Pierre ne veulent rien savoir; ils sont trop pris par leurs réflexions.

INAT TENDU — Je vous avertis, vous êtes mieux de faire ce qu'elle vous commande.

INES PÉRÉE, *reconnaissant Pierre-Pierre et Aidez-Moi, rengainant son arme* — Bisère de mordel de donbieu ! Nous sommes tombés dans un autre repère de Lussier-Voucru ! Patin ! *(À Inat.)* Sais-tu ce que c'est signe, pauvre enfant, quand on commence à retrouver les mêmes gens à tous les coins de rue ?

INAT TENDU — Je sais; c'est signe que le voyage recommence, qu'en d'autres mots, il est foutu, il est fichu, il est fini.

PIERRE-PIERRE, *se relève avec Aidez-Moi, la minute de silence ayant été observée* — À nous quatre maintenant. Mon laïus ne sera pas long. Nous aussi, nous vous connaissons. Nous aussi, nous vous avons assez vus !

INAT TENDU, *violent, il y a de quoi, il n'a plus*

de bonne idée, il l'a même tout oubliée — À boire et à manger... Et je ne vous le dirai pas deux fois! Et je ne dis pas ça parce que nous avons soif ou faim. Avec notre méthode forte, nous sommes bichonnés quand nous voulons. Nous sommes allaités et engraissés, craints et admirés.

PIERRE-PIERRE, *écœuré* — Ici, en vérité, je vous le dis: vous serez vomis et renvoyés.

INES PÉRÉE, *écœurée elle aussi, pas sensible aux menaces de Pierre-Pierre* — Cette baignoire est-elle pleine ou vide? Si elle est vide, de quoi l'est-elle? Si elle est pleine, qu'est-ce qui la remplit? Des mouches émaillées de Maurice Gautier, des porcs-épics épicés, ou des petits bustes de Mozart vieillard? *(Elle se rapproche de la baignoire, la regarde de plus en plus écœurée.)* Elle est à moitié pleine d'eau, comme toutes les baignoires. Pourquoi les baignoires ne nous étonnent-elles jamais? Pourquoi tout a-t-il l'air si programmé, si décidé d'avance? Pourquoi les baignoires à moitié pleines, au lieu de nous remplir d'horreur, nous remplissent-elles d'ennui?

PIERRE-PIERRE — Les robinets d'eau tiède sont bien mal placés pour dire du mal des baignoires à moitié pleines.

INES PÉRÉE, *à Inat* — Il m'a traitée de robinet d'eau tiède. Ponche-le!

INAT TENDU, *qui a pris la bouteille d'alcool ouverte par Pierre-Pierre et qui la boira jusqu'au fond avec Ines* — Si tu traites Ines de robinet d'eau tiède encore une fois, je t'éponge.

INES PÉRÉE, *à Inat* — Pas je t'éponge: je te ponche.

INAT TENDU, *à Pierre-Pierre sans conviction* — Je te ponche!

PIERRE-PIERRE, *à Ines* — Robinet d'eau tiède! *(À Inat.)* Ponchez-moi!

INAT TENDU, *à Pierre-Pierre* — C'est bien rat, c'est bien chien de votre part de reprocher à Ines la pauvreté des paroles de ses chansons, qui est ce dont elle a le plus souffert. Mais je ne vous poncherai pas. Le voyage a été long. Je suis fatigué. Combien reste-t-il de maisons en ligne droite jusqu'à l'océan?

AIDEZ-MOI, *touchée par l'effondrement lent d'Ines et d'Inat* — Êtes-vous malades? Voulez-vous que nous appelions un docteur?

INAT TENDU, *se met à table avec Ines* — Vite à manger qu'on s'en aille. Nous avons assez perdu de temps; il n'en reste presque plus.

INES PÉRÉE, *qui a repris le revolver* — Vous n'avez pas entendu? Il vous a dit: vite à manger. Vite ou je tire dans le tas. *(À Pierre-Pierre.)* Et le tas, c'est surtout toi que ça veut dire, chien, rat. Nous avons l'air épuisés, mais ne vous fiez pas trop là-dessus.

Aidez-Moi s'est jetée devant Pierre-Pierre pour faire bouclier

AIDEZ-MOI — Je cours à la cuisine faire le nécessaire.

INES PÉRÉE — Et le superflu...

AIDEZ-MOI — Et le superflu.

PIERRE-PIERRE, *suit Aidez-Moi* — Laisse faire. C'est moi qui vais m'en occuper. Je vais leur en faire à ma manière du nécessaire et du superflu.

Ils sortent.

INES PÉRÉE, *bâille* — Quels cafouillons!... Quels types!... Quels... ah et puis tout ce que j'ai envie c'est de sortir d'ici et d'aller me coucher, que le sol me prenne dans les bras chauds qu'il conserve sous la couche de neige.

INAT TENDU, *bâille* — Attends, attends. Ce ne sera pas long mais ce n'est pas encore le temps.

INES PÉRÉE — Je me sens comme un lavabo. Le bouchon est enlevé et le peu de vie qui me reste s'écoule.

INAT TENDU — Fais un dernier effort. Cette maison est la dernière, sinon l'avant-dernière, sinon celle avant l'avant-dernière. De toute façon, dans vingt-quatre heures la boucle sera bouclée.

INES PÉRÉE — Vont-ils nous enterrer comme ils enterrent les noyaux quand ils sèment des cerises, des prunes, des pêches? Vont-ils nous mettre dans des petites boîtes comme des allumettes et des cigarettes, ou dans des étuis comme des lunettes?

INAT TENDU, *ils boivent de plus en plus: ils sont pas mal éméchés* — Je ne sais pas. Je m'en fiche pas mal si tu tiens à le savoir. De toute façon, on n'a plus un jeu pour que rien nous fasse grand-différence. Hein? Hein, fillette?

INES PÉRÉE, *émue, venant s'asseoir sur ses genoux* — Comment m'as-tu appelée?

INAT — Fillette...

INES PÉRÉE — Et tu as rougi. Fillette, toi-même. *(Elle étend le bras, tend la main.)* Je ne tremble pas. Trembles-tu, toi, fillette?

INAT TENDU — Quand l'heure sonnera, demain matin ou demain soir, il ne sera ni trop tôt ni trop tard. La plus belle mort qu'on peut désirer est celle qui survient tout de suite après qu'on a fini de vivre; et c'est la mort qui nous sera donnée.

INES PÉRÉE — Finie pour finie, n'importe quelle fin fait mon affaire. Je ne me souviendrai de rien et je n'aurai conscience de rien, même pas de n'être plus vivante. Mon chien est mort, comme on dit, et les chiens morts, même les boxeurs pinschers, ne jappent pas, ne mordent pas, ne courent pas après les voitures. *(Plus fort, attaquant Aidez-moi qui entre avec des assiettes, des couteaux, des fourchettes et va les disposer sur la table.)* La mort me laisse aussi indifférente que la vie me laissera froide quand je n'en aurai plus. Il y en a qui prennent l'état d'angoisse dans lequel ils se mettent en pensant à la mort pour l'état de mort lui-même. Quel indice d'indigence d'esprit! Quelle vessie pour une vaisselle. Quelle... ah et puis... *(Se retournant vers Inat.)* ... hein? Hein, fillette?

Aidez-Moi va pour ressortir, Ines se lève, la rattrape en titubant, l'agrafe par une main, la ramène.

AIDEZ-MOI — Vous avez tort de me forcer la main. Le plus que vous pouvez briser en me brutalisant, c'est ma sympathie naissante. Je vous ai un peu épiés avant de rentrer et ce que j'ai entendu m'a donné la chair de poule.

INES PÉRÉE, *pendant qu'Inat s'assoupit* — L'autre qui nous insulte et celle-là qui nous écornifle. Pour ta punition, tu vas t'asseoir là et je vais m'asseoir sur toi.

Aidez-Moi s'échappe et Ines, trop paquetée, tombe en la poursuivant.

AIDEZ-MOI, *se retourne, l'aide à se relever, veut la ramener à la table* — Tu sais, mon ami Pierre-Pierre n'est pas bien bien d'accord avec les manières de s'inviter à dîner inspirées par la philosophie de ma mère, et ce n'est pas à manger qu'il vous prépare. J'espère que vous ne vous fâcherez pas trop, ton copain et toi.

INES PÉRÉE, *pendue au cou d'Aidez-Moi* — Qu'est-ce que tu me chantes là? Ah et puis bah... Ça ne m'intéresse pas. Dis-moi plutôt... parlant de chanter... si tu sais danser.

AIDEZ-MOI — Un peu. Je connais quelques pas.

INES PÉRÉE — J'ai fait le voyage avec lui là, le gros pâte mou là, qui ne connaît pas un traître pas. Je suis si frustrée, fais-moi danser.

AIDEZ-MOI — Je vais plutôt t'enseigner le twist, c'est facile et ça se danse tout seul. Tu n'auras pas besoin de personne, juste de musique.

Elle fait un peu de vieux twist à la Chubby

Checker. Ines éclate de rire; Ines retombe à terre, écroulée de rire. Aidez-Moi la ramasse et la porte dans son lit.

INES PÉRÉE, *se débat tout à coup* — Non! Non! Je ne veux pas dormir! Ôte-moi de là! Ôte-moi de là! Je ne veux pas dormir! Pas tout de suite! Porte-moi sur ma chaise! Non! Non! Laisse-moi! J'aime mieux marcher! *(Elle se lève, va marcher tant bien que mal.)* J'aime mieux marcher! Je sens mon sang s'épaissir, ça va me dégourdir. Viens avec moi! Viens m'aider à secouer le pauvre enfant avant qu'il soit trop tard. *(À Inat, criant, secouant.)* Debout! Debout! La popote bout!

INAT TENDU, *dans la brume* — Excusez-moi, pardon, est-ce ici que nous sommes attendus?

INES PÉRÉ — Chassez l'immature et il revient au galop! Ramsès! Ramsès! si tu ne veux pas tout avoir perdu, même l'honneur, ravale-moi ça et redis-moi ça comme du monde! Ramsès! Ramsès! C'est Néfertiti qui te parle!

PIERRE-PIERRE, *criant très fort à travers la porte* — Ouvrez-moi! Ouvrez-moi!

INES PÉRÉE, *qui part avec son couteau de table* — Je vais y aller, moi! Je vais l'ouvrir, moi! De la gorge au nombril!

AIDEZ-MOI, *la précède, ouvre* — Attention de tomber avec ce couteau, tu peux te blesser.

PIERRE-PIERRE, *entre avec un grand chandelier électrique à plusieurs branches* — Ce ne sera pas long! Ça cuit! Ça cuit! *(Il rit; il dépose le chandelier au milieu de la table.)* En attendant, allumez-moi ça: vous allez... voir!

Il ressort en riant.

INES PÉRÉE, *va brancher l'appareil; Aidez-moi se sauve* — S'il pense que j'ai peur, il va... ***voir***! *(Elle branche: il se produit une détonation et toutes les lumières s'éteignent; elle débranche: les lumières se rallument et il se dégage du chandelier une fumée qui fait tousser Inat et Ines, mais qui se dissipe aussitôt.)* Le plus puant, de ta bombe et de toi, ce n'est pas celle qu'on pense, fumier! engrais! pelouse! parterre!

INAT TENDU, *il n'est pas choqué, lui: il rit... d'Ines* — Je te l'avais dit, Ines, que ta manie de faire des farces te jouerait un jour un vilain tour!

INES PÉRÉE, *encore plus choquée. Aidez-Moi rentre avec un mouchoir sur le nez* — Il n'y a pas d'Ines ici! Pas plus d'Ines que de pic dans la brique! Je suis Néfertiti!

INAT, *voyant Aidez-Moi; soudain inspiré, se porte vers elle* — Mamadame ou mamamoiselle, décostumez-vous, dédémasquez-vous, dédé... guisez-vous, je voudrais vous voir belle.

INES PÉRÉE, ***singeant — Je voudrais vous voir belle... Oh dear oh my!*** Gnangnangnangnan... Mâle chauvinique ***pig!*** C'est le bouquet! La cour est pleine! Et moi, tu ne veux pas ***me voir belle***? ***(Elle lui fait une grimace de tout le corps et de tout le visage.)*** Tiens! Crétin! Tiens!

AIDEZ-MOI — Qu'est-ce que ces noms que vous vous donnez? Des espèces de noms d'acteurs?

INES PÉRÉE, *nez à nez avec Aidez-Moi* — Il n'est jamais trop tard pour commencer à porter le nom qui nous désigne vraiment. C'est comme toi, qui as l'air d'un coq femelle avec ta crête d'éteigneuse et qui devrais t'appeler Cacarica.

INAT TENDU, *à Aidez-Moi, bien découragé* — Yaketiyaketiyak... Quand elle a peur, elle n'arrête pas de piailler : un vrai moulin à diatribes.

AIDEZ-MOI — Vous avez bien connu ma mère, Isalaide Lussier-Voucru...

INES PÉRÉE — Est-ce une grosse vache? Si ce n'est pas une grosse vache, nous ne l'avons pas bien connue. Nous ne connaissons bien que des grosses vaches.

INAT TENDU, *faisant un geste de graphophone qu'on remonte* — Qu'est-ce que je vous disais? Excusez-la.

AIDEZ-MOI, *qui commence à avoir son quota* — Je l'excuse. Je l'excuse. Je l'excuse.

INES PÉRÉE — Si tu m'excuses encore une fois je te ponche!

AIDEZ-MOI, *va pour sortir* — Vous allez m'excuser moi-même, j'ai à faire.

PAULINE-ÉMILIENNE, *sa voix dans l'intercom* — Allô? Mademoiselle?

AIDEZ-MOI — Oui?

PAULINE-ÉMILIENNE — Pourriez-vous presser les énergumènes de partir pour que je puisse passer? Je suis en retard, malade et blessée.

AIDEZ-MOI — Passe, Pauline-Émilienne, passe! Ils ne peuvent pas te faire grand tort : ils sont aux trois quarts saouls et à moitié morts.

Elle sort.

INAT TENDU, *va pour se coucher dans le lit d'Aidez-Moi: épuisé* — Je vais m'étendre. Pas dormir, ni même me coucher: juste m'étendre, m'allonger cinq minutes.

INES PÉRÉE, *le rattrape* — Non! ***I'd rather be jiggered!*** *(Plus doucement.)* Viens, pauvre enfant. Viens t'asseoir; viens, on va leur montrer, on va tenir le coup jusqu'au bout. On va manger! Tout ce qu'ils ont dans leur armoires! Si ça ne veut pas entrer, on se fera vomir pour faire de la place, comme les souverains égyptiens que nous sommes! Puis on sortira, on continuera à chercher. S'il reste deux maisons, on se les fera ouvrir. S'il en reste une, c'est peut-être la bonne. S'il n'en reste pas, on marchera jusqu'à l'océan... Ce n'est pas si loin après tout, hein? Hein, fillette, hein?

INAT TENDU, *s'attable, saisit dans ses poings le couteau et la fourchette* — J'ai soif. Cherche une autre bouteille.

INES PÉRÉE — ***That's my boy!***

INAT TENDU — Dis-moi: ai-je été un mauvais compagnon?

INES PÉRÉE, ***trouve une autre bouteille dans la penderie, l'ouvre, prend la première gorgée*** — **Tu as été mon seul compagnon. Comment puis-je juger?**

INAT TENDU — Ai-je eu tort de ne t'avoir jamais dit que tu étais jolie?...

INES PÉRÉE — Bah!

INAT TENDU, *en saoulon* — Tu étais très jolie... Très très très jolie... Tu étais... susususuperbe !...

INES PÉRÉE — Toi, tu es ridicule. On ne va tout de même pas, à l'heure qu'il est, commencer ààààà... ***flirter***. Lève-toi, je veux fouiller tes poches.

INAT TENDU — Qu'est-ce qui te prend encore ?

INES PÉRÉE — Je suis sûre que tu me caches quelque chose. Souvent, le long du chemin, tu t'arrêtais et tu te baissais. Qu'est-ce que tu ramassais ? *(Inat se lève, retourne lui-même ses poches, il en tombe beaucoup de poussière.)* Qu'est-ce que c'est que ces poussières de toutes les couleurs ? Une sorte de métal précieux ?

INAT TENDU — Rien. Vraiment rien. C'est ce qui reste des papillons morts que je mettais dans mes poches pour leur faire une sépulture, un cimetière. À la longue, ils se sont pulvérisés. *(Il hausse les épaules.)* C'est tout. Et toi ? Et toi ? Qu'est-ce que tu me caches ?

INES PÉRÉE — Tu ne le sauras pas. Quand je cache quelque chose, ça s'appelle caché.

INAT TENDU — Fais la belle, comme tout à l'heure. C'était très comique. *(Elle lui refait ses simagrées, il rit; il applaudit.)* C'est très comique ! Encore !

Elle recommence ; il rit ; il applaudit.

INES PÉRÉE, *se trouve comique, rit elle aussi* — C'est vraiment comique ?...

INAT TENDU — Comique ? Ah ! Si tu te voyais, tu t'écroulerais de rire.

INES PÉRÉE — J'ai autre chose de plus comique. C'est un poème que j'ai composé à Harvey-Jonction. *(Elle sort un bout de papier d'entre ses seins.)* Je ne voulais pas vraiment te le cacher, je voulais faire une surprise, le garder pour la grande occasion en remplacement de mon violon. Veux-tu que je te le lise? *(Il fait signe que oui.)* Certain? *(Il fait encore signe que oui.)* Tu promets de ne pas rire... Qu'est-ce que je dis là! En tout cas... Je commence.

« La pipe de papa est dans la ratatouille.
« Le tablier de maman a des taches de citrouilles.
« Le cartable de ma sœur est rempli de nouilles.
« Papa et maman se sont chantés pouilles.
« Il lui a dit: Tu es laide comme une grenouille.
« Elle lui a répondu: Tu n'es qu'une andouille.
« Et alors... »

Inat ne rit pas à son goût.
Elle se fâche.
Elle déchire son bout de papier.

INAT TENDU — Pourquoi as-tu fait ça? C'était si comique!

INES PÉRÉE — Pas vrai! Je devais être sous l'effet des drogues d'Escalope quand j'ai écrit ce brouillon et que je l'ai trouvé comique!

INAT TENDU — C'est un chef-d'œuvre!

INES PÉRÉE — C'est une honte!

AIDEZ-MOI, *entre, affolée* — Il s'en vient, j'ai peur. Ne vous méprenez pas sur ses intentions. Ce n'est pas un vrai mauvais garçon. Ne vous querellez pas.

Pierre-Pierre entre à son tour, en riant, avec sous chaque bras comme une caisse d'une douzaine d'œufs. Le téléphone se met à sonner.

INAT TENDU — Te voilà enfin, pervers!
INES PÉRÉE — C'est mieux d'être bon! Je t'ai averti: nous n'avons pas beaucoup d'appétit!
AIDEZ-MOI — Du calme, chéri. Du calme.
PIERRE-PIERRE — Un instant, je vous prie. Je ne peux pas me fendre en quatre. *(Donne ses caisses à Aidez-Moi.)* Tiens ça, chérie, bien précieusement pendant que je réponds au téléphone encore une fois. *(Il répond.)* Allô!... Allô! (...) À quelle sorte de question? Et pourquoi donc? (...) Vous ne me dites pas! Vous voulez rire! Je ne veux pas recevoir gratuitement une provision d'un mois de mélange à gâteau ***That's Good. Is that good enough for you?*** (...) Non! Bon! Insinuez-vous que je ne peux pas subvenir à mes besoins de desserts? Me traiteriez-vous d'économiquement-faible, de fauché, de ruiné, de pauvre et de raté? Vous m'insultez! Sachez qu'en ce pays on ne devient pas vite riche que si l'on traîne la patte, comme dit l'expression autrement plus savoureuse que tout ce dont vous faites la promotion, comme dit une autre expression, douteuse elle. Pour en revenir à nos moutons, sachez que traiter quiconque d'indigent par ici, c'est le traiter de paresseux, de flâneur, de sans-allure, de flanc-mou et de lâche; cela équivaut à lui dire: Tu passes ton temps avachi à la taverne à boire ton allocation familiale, ta pension de

vieillesse et tes chèques d'assurance-chômage. (...) *(Ines et Inat trépignent et rugissent.)* Vous choisissez les numéros au hasard... Pour donner chance égale à tout le monde... Je suis édifié! Comme si tout le monde travaillait aussi dur que moi, et méritait exactement le même traitement. Comme s'il n'y en avait pas des vingts et des cents qui passaient la journée le derrière écrasé sur une chaise, les bras croisés, les doigts dans le nez! (...) Discuter? Moi? Avec vous? Vous êtes fou! De toute façon, j'ai du monde à dîner et ils sont en train de s'impatienter. Arvouar!

Il raccroche.
Il reprend les caisses d'entre les mains d'Aidez-Moi.

PIERRE-PIERRE — Devinez ce que je vous ai apporté chers invités à l'improviste!...

INAT TENDU — Des œufs! Quelle perversion! Avant, avec tout l'air gentil que nous avions, nous n'avons rien pu obtenir que des bocaux d'aliments pour les chiens et pour les chats. À présent, avec le seul air brutal d'un revolver, nous pourrions leur faire décrocher la lune. Il n'y a pas une poule sur l'île majuscule de Terre-Neuve. Qu'est allé chercher ce pervers pour nous?

INES PÉRÉE, *pendant que Pierre-Pierre rit* — Essuyez-vous mon Dieu ainsi que la pourriture que nous allons pendre, ainsi soit-il. *(Elle se signe.)* Vivement le blanc des œufs, la glaire pareille à la salive des huîtres perlières! Vivement le jaune des œufs, rond comme un soleil colorié par un enfant!

PIERRE-PIERRE — Surprise! Surprise! Fermez les yeux ou papa ne vous servira pas. Où serait la splendeur terrible des éclairs s'ils ne se formaient pas d'un coup, si on les voyait grandir peu à peu, comme les bateaux, comme les trains?

Inat retient Ines qui va se lever pour faire un mauvais parti à Pierre-Pierre qui rit de plus en plus.

INAT TENDU — Rassieds-toi et ferme tes yeux. Accorde-lui cette médiocre faveur. Joue ton rôle d'accessoire dans la clownerie qu'il nous monte et qu'il a besoin de finir mieux qu'elle ne s'annonce s'il ne veut pas qu'elle tourne en tragédie.

PIERRE-PIERRE — Paupières closes, allez, paupières closes. Il faut être bien mauvais jouisseur pour se priver de l'état de choc. Vous rouvrez les yeux... boum! vos assiettes sont pleines. De quoi? De quoi? Surprise! Surprise!

Inat et Ines ferment les yeux et haussent les mains

AIDEZ-MOI — Ça va mal tourner, ça va mal tourner. J'ai trop peur: je sors d'ici!

Elle sort.

PIERRE-PIERRE, *remplissant de cailloux chaque*

assiette — Vous n'avez rien mangé qui ait cuit plus lentement, mijoté pendant plus de temps. Au premier coup de langue, vous reconnaîtrez la saveur aigrelette que donnent à toute la pluie les gouttelettes magiques qui jaillissent de la rencontre électrique de deux nuages : c'est le seul assaisonnement de la composition de ce mets... Quant à vos dents, si elles réussissent à faire croustiller cela, elles n'auront jamais rien fait croustiller de plus croustillant. Un fumet trop délicat s'est-il introduit comme une fourmi dans chacune de vos narines et vous porte-t-il à éternuer de plaisir ? Je me recule un peu... *(vers la prise de chandelier, qu'il va brancher...)* Il vaut mieux prévenir que guérir... Allez-y. Ça y est ! C'est prêt !

Les lumières s'éteignent. Inat et Ines s'agitent en jurant. Ils redébranchent le chandelier. La lumière se refait.

INES PÉRÉE, *vidant son assiette à terre, violemment* — Des cailloux ! Tout ce chemin pour des cailloux ! Les mêmes peut-être que ceux où nous avons dormi quand nous sommes tombés sur ce littoral !

INAT TENDU, *étudiant ses cailloux* — Ils sont unis et ronds comme des œufs qu'aurait pondus la terre. Regarde celui-ci : il a la peau raboteuse d'une noix. Peut-être contient-il une amande. Peut-être contiennent-ils tous quelque chose, quelque signe, quelque message ? Cherchons un marteau pour les casser !

INES PÉRÉE, *claque la main d'Inat et fait voler le caillou qu'il lui montrait* — Je vais t'en faire, fillette! Qu'as-tu à la place des tripes? De la boue? Du boudin? *(Prend la bouteille d'alcool, en avale un grand coup et la passe à Inat.)* Tiens, fillette! Donne-toi du feu et cherchons plutôt un marteau pour casser la tête de ce ***cook***, de ce ***crook***!

AIDEZ-MOI, *rentrant, se jetant à genoux à leurs pieds, en larmes* — Pitié! Pitié! Il est mon seul bien. C'est lui ma vraie bouche, mes vrais yeux, mes vraies mains! Épargnez-moi, qui ai essayé de vous aider: épargnez-le! *(Se pendant aux genoux d'Inat.)* Je ferai tout ce que tu voudras pour te récompenser. Je te ferai cuire une belle entrecôte! Je mettrai ma petite robe blanche des dimanches pour que tu me voies belle.

Mais Inat est si fatigué, si saoul et elle le serre si fort, qu'il tombe.

INES PÉRÉE — Relève-toi! Vite! Tout de suite! *(Elle s'agenouille, s'apitoie, devient très tendre.)* Pauvre enfant... Tiens, tiens... prends un autre coup... et fais un dernier effort... Essaie, même en rampant de sortir de cette maison, de cet état sinistre et ridicule où nous nous sommes mis. Nous ne savons plus ce que nous faisons... et si... nous nous endormons ici... nous rêverons si mal que rien ne sera plus possible... *(Presque plus capable de parler.)* Ah et puis...

Se laisse tomber sur Inat qui ne bouge plus, et ne bouge plus elle-même.

AIDEZ-MOI, *se jette sur eux, les secoue, les palpe, les tâte* — Non ! Ne restez pas là... ne restez pas là ! *(Elle éclate en sanglots et se couche sur eux pour mieux pleurer.)* Non !... Non !... Non !...

C'EST TOUT

TABLE

Pour une place sur la terre,
préface d'Alain Pontaut vii

Création et distribution 2

Personnages 3

« Première rake » 7

« Deuxième make » 61

« Troisième make » 91

ACHEVÉ D'IMPRIMER
EN JANVIER 2000
SUR LES PRESSES DE
L'IMPRIMERIE AGMV-MARQUIS
CAP-SAINT-IGNACE (QUÉBEC)
POUR LE COMPTE
DE LEMÉAC ÉDITEUR
MONTRÉAL

DÉPÔT LÉGAL
1re ÉDITION : 1976
(ÉD. 01/IMP. 04)